INTERPRETEZ
VOS REVES

Savoir comprendre les messages
de son subconscient

Karmadharaya

INTERPRETEZ VOS REVES

Savoir comprendre
les messages de son
subconscient

DE VECCHI POCHE
20, rue de la Trémoille
75008 PARIS

Traduction de Werner Boglioli

© 1989 Editions De Vecchi S.A. - Paris
Imprimé en Italie

PREMIÈRE PARTIE

Le rêve: essence et signification

Introduction

"Les rêves s'embarquèrent un jour, en compagnie de leur père, le Sommeil, en direction d'une île enchantée. Mais le Sommeil, qui avait offensé le dieu des Tempêtes en accordant un repos nocturne à certains marins que ce dieu irascible poursuivait de sa fureur, vit à son tour les vents se venger de lui en le jetant sur une terre inhospitalière où rien ne protégeait les hommes de l'ennui. Cependant le pouvoir du dieu des Tempêtes cessait avec le crépuscule, au commencement du règne de la Nuit et de la Lune. Ainsi le père des Rêves, pris de pitié devant la tristesse de ses enfants, leur permit de s'évader, dès que le soir venait. Voilà pourquoi, lorsque tombent les ombres de la nuit, les Rêves prennent leur envol, et s'en vont çà et là, apportant, selon leur caractère, aux uns de douces illusions, aux autres de pénibles cauchemars."

Cette légende arabe explique l'origine des rêves, mais depuis la plus haute Antiquité l'homme a toujours tenté de donner une explication pratique des rêves, créant ainsi cette science que l'on appelle *oniromancie*, c'est-à-dire divination à travers les songes. Artémidore d'Ephèse, considéré jadis et aujourd'hui encore comme le maître de l'interprétation onirique, attribuait à l'homme sobre et tranquille la capacité permanente d'avoir des songes se rapportant constamment à des révélations positives. Dans la Grèce antique, les rêves exerçaient aussi une influence sur les religions et l'on en tenait compte au titre de verdicts sibyllins. A Babylone, l'importance attribuée aux rêves était telle que des prêtres spéciaux furent ordonnés pour interroger le dieu du Soleil, qu'ils appelaient "Seigneur de la vision". Au temps d'Esculape, il existait un Temple des Songes où l'on se rendait pour recevoir l'explication des rêves nocturnes. D'autre part, les Anciens conféraient des aspects particuliers aux songes qu'ils classaient de la manière suivante :

Songes signifiant une prédominance du sang : un homme de tempérament sanguin rêve de couleurs rouges (cinabre ou rose rouge). Il rêve qu'il mange des aliments sucrés ou qu'il voit des viandes sanguinolentes et toute sorte de choses de couleur rouge.

Songes signifiant une prédominance de la colère : lorsque la colère prédomine, l'homme rêve de feu, de charbon, d'étincelles, de fournaise, de foudre, de ciel rouge, de bronze, d'or et de cuivre.

Songes signifiant une prédominance du flegme : l'homme flegmatique rêve de pluie, de fleuve, de sources, d'eau, de canaux, de puits, de lacs, de bateaux, de poissons, de filets, de mains, de vêtements de couleur blanche.

Songes signifiant une prédominance de la mélancolie : l'homme en proie à la mélancolie voit dans ses rêves des couleurs noires, des ténèbres, des sépultures, des hôpitaux, des cadavres et des vêtements souillés.

De nos jours, seuls les spécialistes de l'occultisme continuent à affirmer que le rêve est en étroite relation avec l'état de santé du rêveur. Pour les psychanalystes, c'est sur le subconscient que doivent porter les recherches : c'est dans la sphère neurologique et psychique que sont élaborés ces "complexes" (c'est-à-dire les instincts, les aspirations, les inclinations qui sont réprimés et étouffés) qui empêchent l'individu de manifester sa personnalité en provoquant un déséquilibre physique et une souffrance morale. Le rêve, en mettant le subconscient en action, devient le pilier fondamental de la médecine psychanalytique. Comme le dit René Allendy : "L'interprétation des rêves est devenue, dans la méthode psychanalytique, un processus de traitement des troubles psychiques. En effet, le rêve indique, pour qui sait l'interpréter, les plus profonds et les plus importants des conflits qui se produisent dans l'esprit d'un individu. Par cette méthode, il devient possible d'amener les conflits jusqu'à la lumière de la conscience et de les rendre ainsi susceptibles d'être résolus." Pour Freud et ses disciples, la charge sexuelle que tout individu porte en lui dès la naissance et jusqu'à la mort, explose confusément dans le rêve, en se servant de symboles, en se transférant sous forme de divers objets, en se condensant en images associées par contiguïté et ressemblance. En effet, Freud déclare : "Le rêve est la réalisation contrefaite d'un désir, c'est-à-dire sa réalisation symbolique." Nous traiterons plus loin de l'interprétation psychanalytique des songes.

La médecine indienne, comme la médecine chinoise puisent depuis des siècles le diagnostic des maladies dans l'interprétation des rêves. Dans leur système, les rêves sont classés en cinq catégories correspondant aux organes principaux : cœur, poumons, reins, rate et foie. Chaque catégorie est divisée en deux parties qui représentent deux états anormaux de l'organe, l'état normal ne procurant aucun rêve particulier.

1. Cœur

Rêver de fantômes, de monstres, de formes effrayantes est signe d'un mauvais fonctionnement du cœur (vaisseaux bouchés) et de lourdeurs d'estomac.

Rêver de feu, de fumée, de lumière, d'incendie : mauvais fonctionnement du cœur (éblouissement dû à une irrigation sanguine insuffisante et à un ralentissement du rythme cardiaque) ; inanition (état d'épuisement causé par une absence ou une insuffisance de nourriture).

2. *Poumons*

Rêver de bataille, d'arme, de soldat : mauvais fonctionnement pulmonaire ; lourdeurs d'estomac.
Rêver de plaine, de mer, de campagne, de routes et de voyages difficiles : mauvais fonctionnement des poumons, inanition.

3. *Reins*

Rêver d'une fatigue insoutenable, de douleurs dans le dos : mauvais fonctionnement des reins ; canaux bouchés.
Rêver que l'on nage avec peine et que l'on risque de se noyer : mauvais fonctionnement des reins ; inanition.

4. *Rate*

Rêver de fêtes, de chants, de musique et de plaisir : fonctionnement défectueux de la rate.
Rêver de rixes, de bagarres, de disputes : mauvais fonctionnement de la rate ; inanition.

5. *Foie*

Rêver de forêts inextricables, de montagnes escarpées, d'arbres : signe de mauvais fonctionnement du foie.
Rêver d'herbes, de prés, de buissons, de champs : mauvais fonctionnement du foie ; inanition.

De plus, il existe deux maladies qui peuvent se manifester par les rêves.

Anémie. Rêver de ruisseaux, de sources murmurantes, de cascades est un signe d'anémie.

Asthme. Rêver d'assassinats, de pendaisons, d'étranglements est un signe d'étouffement asthmatique.

La différence d'interprétation entre l'onirocritique et la psychanalyse saute aux yeux ; quoi qu'il en soit, tout ne peut être expliqué par le sexe et la sexualité, et limiter l'activité humaine, consciente ou inconsciente, à des désirs inexprimés, inassouvis ou disparus dans les brouillards du souvenir, ainsi qu'à des sensations imprécises, proches ou éloignées, revient à négliger un champ de recherche et d'expérience bien plus vaste qui comprend toutes les manifestations qui n'ont rien à voir avec la sexualité.

La divination par les songes est aujourd'hui désignée par le mot "oniromancie", du grec *oneiros* : rêve et *manteia* : divination. D'ores et déjà quelques questions se posent auxquelles nous devrons répondre. Que sont les rêves ? Peut-on ou doit-on leur prêter foi ? Comment peut-on les identifier, les analyser, les transposer et les rendre intelligibles ? S'il est vrai que tous les rêves ne sont pas dépourvus de signification, comment les classifier et les reconnaître ? Dans quelle mesure, enfin, peut-on considérer les songes prophétiques comme des avertissements ou des présages ?

Madame de Thèbes, grande spécialiste en la matière, après avoir distingué les rêves affectifs dépendant de troubles organiques, des rêves intuitifs qui n'ont pas de cause physiologique et dont s'occupe l'oniromancie, réduit à une proportion de dix pour cent les rêves qui doivent être pris en considération. Elle déclare elle-même : "Il ne faut pas donner à l'interprétation des rêves un caractère de certitude absolue. Il est nécessaire de distinguer la science de l'imagination et d'admettre que les rêves sont, plus que toute autre chose, des réminiscences et le reflet de nos préoccupations plutôt que des présages. Il ne faut pas prendre la Clef des Songes pour l'Evangile. Tout ce que l'on dira du mystérieux avenir, dont la connaissance a toujours tourmenté l'humanité, ne pourra être fondé que sur des hypothèses et des coïncidences."

Mais que sont en réalité les rêves ? Pour le théosophe il s'agira du moi astral, pour Freud du désir refoulé, pour l'occultiste d'une activité de veille de l'esprit pendant l'inertie de la matière, pour le traditionaliste de l'expression de la position des membres. Le rêve n'en reste pas moins une manifestation humaine importante et une énigme à résoudre. Le grand philosophe allemand Schopenhauer livre à ce propos quelques pensées : "... Le premier pas à accomplir serait une physiologie effective du rêve, c'est-à-dire une connaissance claire et sûre de l'activité particulière du cerveau pendant le rêve et de ce qui distingue particulièrement cette activité de l'activité à l'état de veille; enfin il faudrait savoir d'où vient l'excitation de cette activité, donc avoir la connaissance précise de tout son cours. En ce qui concerne l'ensemble de l'activité intuitive et pensante du cerveau pendant le sommeil, nous ne pouvons aujourd'hui affirmer en toute certitude que ceci : d'abord, l'organe matériel de cette activité, malgré le repos relatif du cerveau, ne peut être que le cerveau lui-même et, en second lieu, l'excitation de cette vision du rêve, ne pouvant venir de l'extérieur par la voie des sens, doit venir de l'intérieur de l'organisme. Nous éprouvons pendant le rêve des sensations réelles de lumière, de couleur, d'odeur, de goût, mais sans l'action des causes extérieures qui d'ordinaire les provoquent, simplement par l'effet d'une incitation intérieure..."

Seuls les rêves intuitifs devraient être pris en considération dans un but divinatoire. Mais d'autre part, combien de milliers et de milliers de rêves prémonitoires ne se sont pas révélés inutiles ? Madame de Thèbes répond : "Les contradictions entre les Clefs des Songes ne sont qu'apparentes, les rêves ne se présentent jamais de manière sûre et leur interprétation varie selon la couleur, la relation ou la succession des images. Ainsi telle clef nous donne le chien vu en rêve comme un heureux présage, telle autre comme un mauvais augure : or, le bon présage existe si le chien est blanc, alors que, s'il est gris, il annonce un malheur, noir la ruine et rouge la discorde ou la guerre."

Les indications varient aussi selon le type planétaire de l'intéressé, car les influences astrales se font toujours sentir. Par exemple, rêver d'un serpent constitue une menace pour un jovien et annonce des ennuis pour un saturnien, de même que rêver d'une eau tranquille est un mauvais présage pour un jovien et une promesse de joie et de fortune pour un lunaire.

Finalement les contradictions, même réelles, s'expliquent par les différentes interprétations des rêves données par tel ou tel peuple, les uns croyant avoir remarqué un mauvais présage constant pour certaines choses que les autres jugent favorables.

Les occultistes voient dans les rêves une forme de pressentiment ou de télépathie, c'est-à-dire de perception à distance et sans intervention des sens. Mais il arrive dans le monde spirituel comme dans le monde physique, que tous les pressentiments ne se vérifient pas par la suite, comme ne germent pas tous les grains qui ont été semés. Des causes qui, quelquefois, nous échappent et d'autres fois sont le résultat de notre volonté prévenue par le rêve, arrêtent ou précipitent le cours des événements qui se préparent. Une difficulté mille fois étudiée pendant la journée peut être résolue pendant la nuit ; alors les pressentiments sont justes. Une sensation depuis longtemps étouffée peut réveiller et nous inciter à repenser notre vie à partir d'un certain point. Et puisque dans la création il n'existe rien d'inutile, nous croyons qu'un indice de parfait équilibre de nos facultés réside dans la lucidité des rêves, et qu'au contraire leur bizarrerie ne constitue qu'un pronostic de fonctionnement imparfait. Eveillé ou endormi, l'individu rêve toujours, mais pendant le jour le rêve est étouffé par l'action, alors que la nuit il est le seul à s'exprimer. Les rêves sont le passé, le présent et l'avenir, ils sont un avertissement, un conseil et un résultat. Les rêves sans valeur sont immédiatement reconnaissables, ce sont ceux que l'on fait au cours des premières heures de sommeil, après la digestion ; ceux qui mettent en cause des personnes ou des choses dont on a récemment parlé ou entendu parler ; les cauchemars fébriles provoqués par un souci, par une peur, par une lecture ou par un spectacle ; les rêves dépendant de la position du dormeur ; les rêves dépendant d'un état morbide ou de causes externes comme le froid et le bruit.

Parfois les rêves constituent des avertissements pour notre santé physique. Se voir précipité de haut en bas indique un cœur faible et fatigué. Courir péniblement dénonce des troubles de l'estomac. Etre poursuivi et fuir désespérément révèle un fonctionnement rénal défectueux. Rêver d'actes sexuels dénote un déséquilibre d'ordre affectif. Ce qu'on appelle le "rêve dans le rêve", phénomène fort curieux, plus répandu qu'on ne le croit, est une preuve d'extrême sensibilité et, dans des cas moins fréquents, un présage de dépression physique ou nerveuse.

Les planètes et les étoiles, selon leur situation et leurs aspects, leurs conjonctions et leurs mouvements, influencent et impressionnent le cerveau des hommes et des animaux, en leur faisant rêver des choses conformes à leur disposition. La lune, dans ses diverses phases, exerce aussi une influence considérable sur les rêves.

Jupiter fournit des rêves religieux et nous pousse dans la direction de nos ambitions. Jupiter matériel fait rêver de banquets animés où l'on chante, de grands spectacles de la nature, de paysages verdoyants, de fleurs, de fruits, de cascades.

Saturne engendre des rêves de mort, sanglants même lorsqu'ils sont influencés par Mars ; des rêves concernant les travaux de longue haleine, interminables et le côté incompréhensible de la vie. Les rêves influencés par Saturne montrent des abîmes, les aspects les moins plaisants de la nature ; les voix y sont rauques et les teintes sombres.

Uranus donne, chez les natures les plus délicates, des rêves concernant les symboles artistiques, l'union des arts, le chant, la couleur et le parfum ; chez les autres, des rêves concernant la partie brillante, somptueuse et plastique de la richesse.

Mercure rend le rêve perspicace, lui confère une apparence de certitude et tourmente l'individu jusque dans son sommeil. Mercure matériel s'attache à la poursuite des plaisirs et invente des stratagèmes.

Mars, synonyme de guerre, de courage et de peur, est marqué par la couleur rouge.

Vénus est synonyme de sexe et son influence peut même parfois être renforcée par la planète Mars.

La *Lune* est le rêve lui-même. Les rêves ne peuvent exister sans son influence. La lune évoque la mer, la pluie, les marais verdoyants ; elle forme les rêveurs impénitents, les visionnaires et les médiums.

Puisque nous venons de mentionner quelques-unes des croyances populaires les plus courantes, nous ne saurions négliger de mettre le lecteur en garde quant à leur interprétation et leur crédibilité. En effet, une interprétation ne peut être obtenue par la simple lecture d'un dictionnaire onirique ou d'une quelconque Clef des Songes, elle exige au contraire un examen de toutes les circonstances, externes et internes, comme l'état de l'organisme, la qualité et l'intensité du travail, le type planétaire, le parcours de la lunaison, les émotions et les sujets de préoccupation récents et, enfin, la substance du rêve lui-même. Par conséquent, une interprétation ne peut jamais être générale mais toujours individuelle, différente d'un individu à un autre. Un onirologue célèbre a écrit : "On rêve différemment selon sa constitution, ses pensées, les études que l'on a faites et l'activité que l'on exerce. On rencontre des personnes qui ne rêvent jamais et d'autres qui rêvent toujours. Certaines personnes rêvent dès le début du sommeil, puis ne rêvent plus, certaines autres rêvent au milieu de leur sommeil et non à la fin, d'autres encore rêvent vers la fin du sommeil. Il y a des gens qui se souviennent de toutes les choses dont ils rêvent et qui savent les raconter, et de nombreux autres qui ne s'en souviennent pas et par conséquent ne peuvent les relater. La grande variété des rêves dépend de raisons intérieures et extérieures ainsi que de l'état de l'imagination, laquelle reçoit l'apparition et la vision imaginaire du rêve."

Nous observerons donc les trois règles suivantes :

1. Ne jamais prendre en considération les images de rêve trop vagues, trop rares ou trop bizarres.

2. Elargir la signification de ces images, car en oniromancie, plus que dans toute autre démarche divinatoire, la précision risque de mener au charlatanisme.

3. Ecarter certaines explications, sottes à force d'être simples et même simplistes, comme c'est le cas pour cet auteur qui affirme que les aventures amoureuses sont annoncées par un rêve où l'on enfile des perles ! Nous insisterons seulement sur les interprétations qui recueillent plusieurs avis favorables, qui sont conformes à la tradition, ont été prouvées et possèdent un certain sens moral.

Ces premières pages ont été consacrées à un panorama général de l'oniromancie. Dans les chapitres suivants nous traiterons plus en détail du problème onirique en tant que fait humain et en ce qui concerne la divination. Au terme de ce court développement sur les rêves, le lecteur trouvera un dictionnaire contenant les symboles que la tradition populaire associe aux objets, aux faits et aux personnes qui constituent la matière du rêve.

Nous souhaitons que cet ouvrage puisse aider le lecteur à mieux se comprendre, grâce à la compréhension de ses propres rêves.

Origine des rêves

Hippocrate observait déjà une nette distinction entre les rêves, selon la "source" d'où ils jaillissaient. Il considérait que certains rêves révélaient des maladies et que d'autres dépendaient des divinités et constituaient des messages.

L'esprit moderne a heureusement condamné les nombreuses superstitions qui pesaient quelquefois de manière dramatique sur l'interprétation des rêves. On connaît ces épisodes marqués par le fanatisme et l'ignorance où l'interprétation bornée d'un rêve funeste annonçant une trahison amoureuse pouvait avoir des conséquences tragiques. Ce n'est pas sous cet angle que doit être affronté le problème de la signification des "visions nocturnes".

L'homme ne peut prétendre à remplacer Dieu, il ne peut espérer lire en lui-même et en son destin. Au mieux pourra-t-il saisir une partie de la vérité.

L'art d'expliquer les rêves doit donc être considéré comme un *moyen*, parmi d'autres, qui permet d'essayer de comprendre le grand mystère qui nous entoure.

Pourquoi rêvons-nous ?

On peut dire que le rêve est l'expression de l'activité mentale pendant le sommeil.

Lorsque nous dormons, notre organisme reprend des forces grâce à l'interruption de toute activité physique, l'esprit remplace alors l'activité normale de la pensée et de la volonté par la fonction mystérieuse des rêves.

Lorsque nous dormons, notre esprit se trouve plus ou moins dans les mêmes conditions qu'un enfant qui se serait finalement libéré de la surveillance des adultes : les adultes étant ici représentés par la *conscience* et par la *raison*, deux autorités toujours prêtes à ramener nos désirs et nos buts sur le droit chemin de l'usage et de la tradition.

On sait que, en état de veille, le premier devoir de l'homme est la lutte pour la survie. Il s'agit d'une lutte qui requiert l'emploi de toute notre énergie. Pour cela l'homme est souvent contraint à se "masquer", c'est-à-dire à assumer certains comportements qui ne correspondent pas toujours à sa vraie nature.

Dans certaines circonstances, pour atteindre un objectif, nous devons nous adapter et forcer notre caractère ; d'autres fois, au contraire, c'est notre sens moral, notre conscience du devoir à accomplir, la notion précise du bien et du mal profondément ancrée en nous ou le respect de préceptes religieux, qui nous pousse à exécuter des actions nécessitant un long effort de volonté pour triompher des instincts qui, de leur côté, voudraient nous contraindre à faire l'opposé de ce que la raison considère comme juste et moral.

Or, dans le rêve, la situation change du tout au tout. Détaché de ses obligations et de ses devoirs, déchargé des responsabilités par le fait même qu'il est momentanément privé de conscience et de volonté, l'homme apparaît enfin libéré. Le Sommeil est la seule situation dont il n'ait pas à rendre compte. D'autre part, c'est aussi la seule dont il ne puisse pas se servir pour obtenir un résultat pratique.

Voilà pourquoi le sommeil représente une seconde vie, et cette fois une vie qui est à elle-même sa propre fin.

C'est la raison fondamentale de l'importance que les hommes ont toujours attribuée aux rêves.

Fruit d'une liberté et d'une indépendance absolues, le rêve les a toujours intéressés par son caractère non "utilitaire" et, par conséquent, hautement "significatif".

Rêves provoqués par un stimulus sensoriel externe

Ce sont les rêves qui ont pour cause une excitation extérieure au rêveur. Donnons un exemple :

A - Un sujet dort en plein air ; il rêve qu'il est capturé par des hommes qui, après l'avoir étendu à terre, lui enfoncent un poignard dans le pied droit, entre le gros orteil et le deuxième doigt. Se réveillant en sursaut, il s'aperçoit qu'il a une épine enfoncée dans la peau exactement à l'endroit où, dans le rêve, se trouvait le poignard. Dans ce genre de rêve, le stimulus, c'est-à-dire la cause externe de la douleur, est perçu en rêve avant de l'être dans la réalité. Naturellement, ce stimulus est transposé sous une forme disproportionnée. Autre exemple :

B - Un sujet rêve qu'il est pendu. En se réveillant, il s'aperçoit que son col de pyjama est trop étroit et rend sa respiration difficile. Font partie de cette catégorie tous les cauchemars (incendies, inondations, etc.) qui sont simplement causés par une sensation de froid ou de chaud éprouvée pendant le sommeil et transformée en rêve avant que le dormeur n'en prenne réellement conscience.

Rêves provoqués par un stimulus sensoriel interne

Sont regroupés dans cette catégorie tous les rêves engendrés par un besoin physique non assouvi : faim, soif, etc.

Il s'agit de rêves qui représentent presque toujours l'assouvissement de ces désirs sous une forme démesurée : ils sont souvent suivis par la triste réalité du réveil.

Après les rêves provoqués par des stimuli physiques et sensoriels, examinons maintenant une autre sorte de rêves.

Rêves provoqués par un stimulus pathologique

Les plus graves maladies comme les plus petites indispositions peuvent provoquer des rêves puisque, durant le sommeil, le processus pathologique qui se développe dans les profondeurs de l'organisme entraîne des rêves qui se trouvent en relation plus ou moins directe avec l'organe malade, si bien qu'on en arrive quelquefois à déceler une maladie qu'aucun symptôme n'a encore révélée.

Les *affections organiques du cœur et des artères* sont souvent annoncées par des rêves pénibles ou des cauchemars suivis de tristes pressentiments. S'ils se répètent souvent, ils peuvent être considérés comme les signes précurseurs d'une lésion grave, difficile ou impossible à prévenir. Lorsque celle-ci devient manifeste, les rêves sont très brefs, ont lieu particulièrement au cours du premier sommeil et sont suivis par un réveil brutal. Ils sont souvent associés à une peur de mort brutale dans des circonstances tragiques.

Les *hémorragies dues à un afflux congestif anormal* sont parfois annoncées par des rêves dominés par la couleur rouge (incendies ou sang), d'autant plus intenses et distincts que le danger est plus grand.

Pour la *névrose* comme pour *l'aliénation mentale*, on note une production de rêves bizarres et extraordinaires qui doivent mettre le sujet en garde.

De même la *rage* peut, avant de se manifester, être annoncée par des cauchemars effroyables.

Les sujets fiévreux éprouvent une soif violente et rêvent qu'il leur est impossible de l'étancher. Certains sujets qui rêvèrent qu'on leur avait coupé une jambe se réveillèrent paralysés ou le devinrent peu après. Les altérations des organes génitaux provoquent souvent des rêves érotiques, alors que les individus souffrant de gastralgies rêvent qu'ils boivent une eau limpide et font un merveilleux repas, visions suivies par des sensations pénibles, fréquentes chez les sujets souffrant d'indigestion, d'embarras gastrique, atteints d'un ulcère ou d'un cancer de l'estomac. Cependant, de toutes les affections, celles qui provoquent les rêves les plus pénibles et les plus effrayants sont celles qui touchent le cœur, les artères du cerveau et l'appareil respiratoire.

Rêves provoqués par un stimulus psychique

La cause de ces rêves doit être recherchée dans un trouble psychique subi par le sujet, très souvent au cours des heures qui précèdent le sommeil.

Entrent dans cette catégorie les rêves concernant les personnes ou les choses qui ont mobilisé notre intérêt pendant la journée. Autres causes possibles de choc psychique : un film particulièrement impressionnant, la lecture d'un livre, policier par exemple, le fait d'avoir assisté à une scène déplaisante, les soucis professionnels, les craintes infantiles qui quelquefois tourmentent aussi les adultes (peur de l'obscurité, peur des voleurs, etc.), les émotions fortes, etc.

En dehors de ce type précis dont il est assez simple de découvrir l'origine, existe aussi la grande masse des rêves à caractère psychologique, les rêves "d'imagination", peuplés d'images fascinantes et confuses. Ce sont les "visions" que les Anciens attribuaient à Jupiter ou à quelque autre dieu de l'Olympe et que, nous, nous considérons, plus simplement et plus humblement comme des productions bien humaines dont le mécanisme reste encore en grande partie mystérieux.

Avant d'examiner plus attentivement ces rêves psychologiques les plus intéressants du point de vue symbolique, donnons, dans leurs grandes lignes, quelques règles pratiques qui permettent d'éviter au maximum les cauchemars d'origine physique et psychique. Une règle efficace bien que difficile à observer, particulièrement à notre époque où nous sommes tous plus ou moins en proie à l'agitation qui met les nerfs à rude épreuve, consiste à chercher, dans la mesure du possible, à rester calmes et sereins en toute occasion.

Une bonne dose de tranquillité, un peu d'humour et de détachement face aux fonctions que nous occupons, la possibilité d'organiser notre travail de manière à pouvoir l'accomplir, avec efficacité, mais sans en être esclave, voilà les meilleurs moyens pour préserver notre santé et pour récupérer nos forces grâce au sommeil. Cela signifie que l'on se prépare à un bon repos tout au long de la journée.

Règles pratiques pour un sommeil hygiénique et réparateur

La chambre doit être bien aérée ; le lit doit être vaste et bas, les oreillers et le matelas plutôt durs. Pendant l'hiver, il ne faut pas s'étouffer sous des montagnes de couvertures. Si l'on est en parfaite santé, il convient de dormir avec les persiennes fermées et la fenêtre au moins partiellement ouverte.

Apprenez à dormir la bouche fermée, en respirant régulièrement par le nez. Un bon bain tiède suivi d'un séchage rapide, sans massage, est ce qu'il y a de mieux pour préparer à un sommeil réparateur.

Autre règle à observer pour les personnes qui souffrent

d'insomnie : limiter au maximum la consommation de café, de tabac et d'alcool.

N'espérez pas bien dormir après un repas trop copieux, ni si vous vous couchez sans manger. Pour bien s'endormir, il est conseillé de lire quelques pages d'un bon livre (évidemment pas de livres policiers ou d'horreur pour les personnes impressionnables) et, surtout, d'oublier toutes les difficultés et tous les soucis de la journée passée.

Caractéristiques des rêves

Si le mécanisme du rêve demeure encore, en grande partie, mystérieux, certains de ses éléments toutefois ont été mis en lumière par les travaux de nombreux chercheurs, du moins en ce qui concerne leurs lignes essentielles.

Nous en parlerons brièvement pour conclure cette première partie qui pourrait s'intituler "introduction sur la nature du rêve". Les éléments les plus intéressants parmi ceux qui composent le rêve sont, outre son origine dont nous avons déjà traité, son intensité, ses implications sur le plan affectif et son déroulement logique.

Fréquence des rêves

Cette fréquence est déterminée par le souvenir que nous avons de nos rêves lorsque nous nous réveillons. Ce souvenir est toujours incertain et comporte des lacunes. Il est en effet rarement possible de garder une notion exacte de ce qui se passe pendant le sommeil.

On ne peut donc rien affirmer avec certitude sur la fréquence des rêves. Certains prétendent qu'aucune nuit de sommeil n'est exempte de rêves. Le fait qu'il nous semble quelquefois n'avoir pas rêvé dépendrait de notre incapacité à saisir avec lucidité tous les aspects et toutes les sensations des "aventures nocturnes" de notre cerveau. Bien souvent cet oubli serait causé par la présence d'images trop faibles ou trop imprécises, non reliées par un fil logique et ne parvenant pas à s'inscrire durablement dans notre mémoire.

On possède cependant quelques données sûres en ce qui concerne la fréquence des rêves : l'enfant ne rêve pas avant l'âge de quatre ou cinq ans. Après la huitième année, l'enfant rêve surtout d'aventures effrayantes. Ces rêves sont généralement des réminiscences de fables entendues pendant l'enfance, récits peuplés de monstres et de dangers de toute espèce. Dans ces rêves reviennent aussi couramment des visions de personnes mortes, spécialement de personnes appartenant au cercle familial et dont la disparition a naguère frappé la sensibilité de l'enfant.

La période pendant laquelle les rêves sont le plus riches et le plus fréquents serait la jeunesse et l'âge mûr, alors que pendant la vieillesse les rêves redeviendraient confus et se rapporteraient pour la plupart à des faits concernant la vie passée et particulièrement la jeunesse.

Rapidité des rêves

Là encore nous n'avons aucune donnée précise. Il est par conséquent impossible d'établir avec certitude si le rythme avec lequel les images s'enchaînent dans le rêve est le même que pendant l'état de veille. On peut observer, à ce propos, que les mots prononcés pendant le sommeil par certains sujets placés en observation, laissent à penser que le rythme est à peu près semblable à celui de la prononciation en état de veille. Cela tendrait à démontrer qu'il existe une certaine ressemblance entre le "temps" du rêve (si l'on peut parler ici de temps) et celui de la réalité.

Les images dans le rêve

Tout le monde sait avec quelle confuse richesse les images se présentent à notre esprit. Chacun de nous rêve, si l'on peut dire, selon son caractère.

Pendant le sommeil, certains sens sont particulièrement aiguisés : parmi ceux-ci notons en particulier la vue (on sait que certains sujets, extrêmement sensibles, parviennent à rêver en couleur) et l'ouïe. Les sensations tactiles de chaud et de froid sont — comme nous l'avons déjà dit précédemment — très vives. Il semblerait, au contraire, que le goût et l'odorat soient moins employés.

La personnalité du rêveur

Les conditions dans lesquelles se trouve la personnalité humaine pendant le sommeil ne sont pas encore parfaitement éclaircies. De même qu'il existe diverses manières de rêver, il existe aussi divers comportements du rêveur. Certains rêveurs perdent complètement conscience, acquérant une personnalité fictive et irréelle ; d'autres, tout en rêvant, savent qui ils sont et n'en perdent jamais conscience.

Pourtant, on croit généralement que pendant le rêve la conscience est réduite aux seules sensations organiques associées à des représentations acoustiques et visuelles. Il semble évident que la personnalité du rêveur, privée des deux points de référence principaux (le temps et l'espace) qui lui servent d'ordinaire à affronter la réalité, prend un caractère indistinct et nébuleux. Il est extrêmement facile, en rêvant, "d'endosser" plusieurs personnalités (en effet, on peut être soi-même pendant un moment, puis "devenir" quelqu'un d'autre, connu ou inconnu, etc.) qui se chevauchent comme se chevauchent les impressions.

Intensité des rêves

L'intensité avec laquelle on pénètre dans un rêve déterminé varie de sujet à sujet. Tout le monde a certainement vécu au moins une expérience où le contenu du rêve était aussi puissant que la réalité, si bien qu'au réveil on ne se rend pas compte immédiatement que l'on sort d'un rêve et qu'on rattache naturellement les sensations de la nuit à celles de la réalité. Du reste, le soulagement ou la déception que l'on éprouve lorsqu'on s'aperçoit "qu'il ne s'agissait que d'un rêve", prouve l'intensité de vie du rêve lui-même.

D'autres fois cette intensité est minime. Ce sont les cas où, au réveil, il ne reste qu'une sensation de "quelque chose" d'incertain et de vague survenu pendant la nuit ou même la conviction de ne pas avoir rêvé du tout.

La composante affective des rêves

A propos de l'aspect des rêves lié à l'affectivité, fort bien illustré par Freud, disons simplement pour l'instant qu'il s'agit d'une caractéristique par laquelle des idées différentes se mêlent, à travers les symboles, selon la puissance sentimentale et émotive qu'elles exercent sur le sujet.

On pense donc que le lien le plus fort entre les différentes images d'un rêve est précisément le lien affectif et non, par exemple, le lien logique ou celui de la vraisemblance. Mais nous aurons l'occasion de revenir sur ce point.

La logique des rêves

Cette logique n'existe pas, du moins pas dans la forme qui relie les divers événements à l'état de veille.

On dit habituellement que les rêves apparaissent comme une succession d'images incohérentes. Ces images, comme nous l'avons déjà dit, ne sont pas liées entre elles par un principe de logique ou de causalité, mais s'enchaînent selon d'autres lois que nous appellerons "associations affectives".

Selon certains observateurs, le manque de logique dans les rêves serait dû à la présence du "symbole", c'est-à-dire d'une forme particulière sous laquelle se dissimule la signification du rêve lui-même. Ces symboles, à l'expression difficile et quelquefois obscure, seraient la cause du caractère apparemment illogique de nos rêves. Pour d'autres, au contraire, l'illogisme des rêves serait dû à leur succession rapide. Puisque, comme nous l'avons vu, tous les rêves ne sont pas perçus par le sujet, cela explique l'impossibilité de donner un compte rendu logique de ces visions fragmentaires.

Nous ne pouvons terminer ces observations sur la nature des rêves sans faire allusion aux théories de certains chercheurs qui soutiennent que non seulement les rêves possèdent une logique précise, mais qu'elle serait plus fondée que celle de l'état de veille. Les occasions ne manqueront pas de discuter ces idées, pour l'instant nous nous sommes contenté de les énoncer.

Avant de passer à la deuxième partie (qui traite de plus près de l'interprétation des rêves), essayons, pour plus de clarté, de faire le point sur la situation que nous avons peu à peu examinée.

Nous avons considéré jusqu'ici :

— *l'origine des rêves* ;
— *les règles pratiques pour éviter les cauchemars* ;
— *les caractéristiques des rêves* (la fréquence, la rapidité, les images, la personnalité du rêveur, l'intensité, la composante affective, la logique).

Nous pensons que les lecteurs peuvent déjà disposer d'un tableau suffisamment clair quant à l'ampleur du problème à résoudre et que ce préambule était nécessaire afin de parvenir à une connaissance valable des significations et de la valeur des rêves. Nous nous sommes efforcé de démêler, en essayant de la rendre accessible à tous, une matière qui prête aux controverses, en éliminant les données qui, bien qu'intéressantes, auraient pu engendrer des confusions chez le lecteur ; ce livre ne veut avoir qu'un caractère de vulgarisation et d'aide pratique pour ceux qui s'avancent sur les chemins difficiles mais fascinants de l'interprétation des rêves.

Deuxième partie

L'interprétation des rêves

L'interprétation psychanalytique

Dans ce chapitre nous examinerons ce que l'on appelle les "rêves symboliques", c'est-à-dire ces rêves qui, en apparence, n'ont aucune relation avec notre personnalité. Ce sont des rêves qui, par leur caractère extraordinaire, étaient considérés dans l'Antiquité comme une manifestation directe de la volonté divine. Pour nous, le problème est moins "simple". Plus modestes que nos aînés, nous avons cherché pour les interpréter une clef qui soit dans un monde plus proche que le monde surnaturel, nous avons cherché en nous, au plus profond de nous-même.

Avant tout, pour une compréhension exacte de la nature des rêves et, par conséquent, de leur contenu, nous devons nous arrêter un instant sur le mot "symbolique".

Que signifie ce terme : "symbolique"?

Le symbole est une forme sous laquelle peut se cacher un concept ou une chose. Donnons un exemple simple tiré du langage courant : prenons le mot "drapeau". Nous savons que le drapeau n'est pas seulement un morceau d'étoffe, qu'il a une signification symbolique, qu'il veut dire : patrie, honneur, armée, prestige national, etc. Toutes les fois que nous parlons de "drapeau", les sentiments dont il est le symbole sont sous-entendus.

C'est la même chose pour les rêves symboliques. Ils consistent en une série d'images qui "remplacent quelque chose".

Si nous découvrons ce "quelque chose", nous aurons découvert la signification du rêve.

L'un des grands savants qui ont éclairé le domaine si obscur de l'activité onirique (l'activité du rêve) fut le médecin autrichien Sigmund Freud, né à Freiberg en 1856 et mort à Londres, exilé pour des raisons raciales en 1939, fondateur et chef d'école de la science psychanalytique.

C'est à Sigmund Freud que revient l'immense mérite d'avoir découvert l'importance fondamentale des forces psychiques ignorées par la conscience de l'homme, mais qui n'en déterminent pas moins son comportement pratique. Selon Freud, en effet, l'âme humaine est constituée par un ensemble de forces dont certaines sont avouables et acceptées par la conscience ; d'autres, inavouables, sont réprimées, refoulées par le sens moral que tout homme possède de façon innée et ne se manifestent donc pas ouvertement, mais à travers des symboles et sous diverses formes. L'une de ces formes serait précisément le rêve.

Le rêve alors n'est plus considéré comme un message de forces et d'entités extérieures à l'homme, mais comme une émanation de cette partie souterraine de l'âme que l'on appelle "l'inconscient".

L'inconscient, selon la théorie freudienne, ne pouvant faire remonter ouvertement à la "surface" de la conscience certaines impulsions et certains désirs qui seraient immédiatement "censurés", recourt à un stratagème et attend le sommeil (pendant lequel la conscience est endormie) pour manifester ces forces et ces désirs refoulés à travers les symboles du rêve. Pour Freud donc le *rêve* n'est rien d'autre que la *réalisation symbolique d'un désir.*

Naturellement Freud ne se contente pas d'énoncer ces théories. Il les étoffe par toute une série de raisonnements et par les résultats de son expérience pratique.

Pour ce qui est du rêve, il déclare :

"Les visions nocturnes sont déterminées principalement par l'état organique (voir le chapitre II de la 1ère partie), par des sensations physiques perçues pendant le sommeil, par l'immense contribution des souvenirs ou par un désir refoulé."

Le grand reproche qu'on fait à Freud c'est de considérer ces forces psychiques uniquement sous l'angle des impulsions sexuelles. Le rêve étant l'une des manifestations symboliques des formes refoulées par la conscience, c'est précisément dans le rêve qu'explosera cette charge sexuelle qui reste inaccessible à la conscience du sujet.

Le rêve serait donc une tentative visant à résoudre les conflits intérieurs entre le conscient et l'inconscient ; dans ce sens, toujours selon Freud, chaque élément du rêve peut trouver une justification et une explication précises.

Tout en observant les faiblesses de cette théorie, qui prétend limiter le ressort de l'action humaine à une série d'impulsions sexuelles (Freud néglige, par exemple, l'une des clefs principales de l'action humaine, l'instinct de conservation, lequel repose, de nos jours particulièrement sur des éléments économiques), on ne peut manquer d'admirer la lucidité d'une vision qui explique en grande partie les impulsions secrètes qui se trouvent à l'origine du comportement humain. (Notons, en passant, la fonction libératrice de la psychanalyse qui, à travers des méthodes pratiques de grande valeur, parvient à "décharger" la tension d'individus tourmentés par des déséquilibres psychiques de toute nature — ce que l'on appelle les "complexes" —, et à les ramener à une normalité de sentiments et d'actions.)

Nous l'avons dit, selon Freud, *le rêve serait l'un des modes d'expression d'un désir existant à l'état latent dans les profondeurs de notre âme* ; il ne peut se manifester sous forme de pensée ou de désir à l'état de veille car notre sens moral, toujours vigilant, le repousserait, le censurerait ou, pour le moins, nous avertirait qu'il s'agit d'un "mauvais" désir.

Le désir censuré s'exprime et se réalise en rêve grâce à la "fiction" du symbole. La théorie freudienne concernant les rêves fut ensuite modifiée par de nombreux spécialistes. Nous ne nous attarderons pas sur les diverses théories modernes ; nous nous contenterons de faire brièvement allusion à celle fort brillante, du docteur C. G. Jung, chef de file de l'école suisse de psychanalyse. Jung fut le premier à jeter un pont entre les rêves et l'infinité d'expériences spiritualistes réalisées depuis l'aube de l'humanité, en tenant compte de l'énergie psychique qu'on y représentait.

Pour Jung, la pensée onirique met en œuvre les mêmes mécanismes que la pensée mythique. Aucun souvenir humain ne disparaît complètement, certains sombrent seulement dans l'océan de l'inconscient. Cet inconscient est un immense réservoir alimenté par les instincts. Selon Jung, dans certaines conditions, l'action de l'inconscient peut transformer une vie : cela se voit dans certains rêves ou "prises de conscience", en psychanalyse.

Les rêves doivent donc être considérés comme une émanation psychique provenant de l'ensemble de la vie, laquelle porte à la conscience du rêveur des éléments inconnus, accomplissant ainsi une fonction complémentaire et compensatrice à l'égard de l'état de veille. Pour Jung donc, le rêve a tendance à revenir à une réévaluation plus équilibrée et plus humaine où la sensualité et la spiritualité jouent des rôles de même importance.

Les éclaircissements fournis par Jung sont à la fois intéressants, positifs et réconfortants.

Il n'est donc pas vrai que nos rêves contiennent uniquement des impulsions irrationnelles et amorales, comme le voudrait Freud. Au contraire, ils peuvent être l'expression d'importants jugements de valeur morale.

Ainsi, s'il est vrai que les rêves trahissent notre état d'esprit, nos forces psychiques et nos tendances cachées, il est tout aussi vrai qu'ils peuvent se réaliser à différents niveaux.

En effet, le même rêve peut être interprété de plusieurs manières et exprimer plusieurs états d'esprit.

Prenons l'exemple d'un rêve très courant. "Untel rêve qu'il se trouve en public absolument nu. Il en éprouve une très forte gêne mais ne peut en aucun cas y porter remède."

Une première interprétation de ce rêve laisserait à penser que le sujet a un penchant marqué pour l'exhibitionnisme, penchant qui lui vient de l'enfance et qui, en rêve, se manifeste précisément par une absence d'habits : absence à laquelle il ne peut remédier malgré le sentiment de honte clairement exprimé dans le rêve.

Mais une autre explication est possible, en tenant compte des suggestions de Jung et de certains autres psychanalystes : le manque de vêtements signifierait symboliquement le désir d'être honnête, en se dépouillant de toutes les super-structures que la vie et ses nécessités imposent à l'homme. Le rêveur verrait son désir représenté symboliquement par le rêve, non pas parce que cet instinct honteux chercherait à échapper à la vigilance de la conscience (gardienne de la moralité), mais exactement pour la raison contraire : parce que, dans notre civilisation, l'homme a souvent honte de ses meilleurs aspects, les considérant comme des entraves dans sa démarche visant à atteindre les buts pratiques qu'il s'est fixés. Ces "bons instincts" qui ne peuvent s'exprimer à l'état de veille se manifestent en rêve et représentent une sorte de sève permettant le renouvellement moral du rêveur.

On voit alors à quel point la conception psychanalytique de Jung constitue l'antithèse de celle de Freud, lequel considère les rêves comme étant, pour la plupart, la réalisation de désirs négatifs ou contre nature.

Un exemple caractéristique de cette diversité d'interprétation est fourni par le "rêve de mort", lorsque la personne que l'on voit mourir nous est chère ou pour le moins connue. Jung corrige l'interprétation de ce rêve qui, pour Freud et d'autres spécialistes, indiquerait le désir inconscient du sujet de voir mourir la personne rêvée, par une explication quelque peu nuancée. Il se réfère à l'idée de la mort qu'ont les enfants. Pour les enfants, en effet, la mort ne revêt pas ce caractère effrayant ou dramatique qu'elle assume dans le monde adulte. Les enfants ne craignent pas la mort en soi, car ils n'en ont pas conscience. Lorsqu'une personne qu'ils connaissent meurt, ils associent le mot "mort" au mot "partir", à l'expression "elle n'est plus ici", etc.

La même chose, selon Jung, arriverait aux adultes lorsqu'ils voient en rêve la mort de quelqu'un. Leur inconscient (comparable à l'esprit d'un enfant) n'indiquerait par le rêve de mort que son désir de "ne plus voir" la personne en question, le désir en somme qu'elle sorte de leur vie.

Nous avons vu jusqu'ici de quelle façon le rêve constitue un véritable "diagramme psychique" contenant la symbolisation de désirs, de tendances refoulées, d'ambitions, de jalousies, d'instincts, bons et mauvais ainsi que de conflits mentaux concernant le sujet. Les forces psychiques qui engendrent les rêves, toujours pour échapper à la "censure" de la conscience, non seulement s'expriment par symboles inter-posés, mais tendent aussi à organiser ces symboles entre eux, selon des lois complexes et trompeuses. Il ne faut pas croire, en effet, que l'inconscient se contente d'une expression par symboles directs. Dans ce cas la lecture serait assez facile : il suffirait de connaître la signification des divers symboles et le rêve serait expliqué. En réalité, il en va tout autrement. Les forces psychiques s'expriment en reliant les images les unes aux autres selon des lois qui ne sont ni celles de la logique ni celles de la vraisemblance. Voilà pourquoi Jung soutient que pour parvenir à une bonne interprétation plausible il faut ignorer le sens littéral du rêve et connaître plutôt les éléments présents et passés de la vie du rêveur au moyen d'un patient travail de supposition et d'amplification. Nous n'entendons pas ici rendre la compréhension du problème inaccessible aux lecteurs peu avertis du "dynamisme onirique" c'est-à-dire des différents moyens dont disposent les rêves pour se manifester. Nous nous efforcerons donc de simplifier le plus possible, en invitant les lecteurs qui voudraient pénétrer plus profondément ces questions à lire des ouvrages fondamentaux, comme par exemple : *L'interprétation des rêves* de Freud et la *Psychologie analytique* (ou *Psychologie des complexes*) de Jung.

Dynamisme du rêve

Les matériaux du rêve ne s'organisent pas suivant les règles de la logique ni selon l'objectivité des faits ou la possibilité réelle, mais selon les nuances du sentiment qui les lie.

Dans le rêve, les idées abstraites s'expriment par des images concrètes ou par certaines associations d'images. En d'autres termes les *images tendent à s'appeler l'une l'autre selon des lois de sentiment (ou lois affectives).*

La connaissance de ces lois est indispensable, suivant la théorie psychanalytique, pour connaître la signification d'un rêve et pouvoir en tirer les conclusions nécessaires au traitement psychanalytique du sujet. Il est évident que nous parlons ici de sujets nécessitant une attention particulière.

Une analyse psychanalytique ne peut être effectuée par le sujet lui-même : c'est pourquoi, étant donné le caractère de ce livre, nous pensons qu'il serait superflu de nous attarder en explications techniques qui ne pourraient servir au lecteur pour son enquête sur ses propres rêves.

Il nous suffira d'attirer l'attention sur certains points généraux d'un intérêt indiscutable pour l'orientation du problème qui nous tient à cœur. Nous pouvons tirer de l'interprétation psychanalytique du rêve quelques données très importantes. Le rêve présente deux aspects dignes d'attention : *le premier est son contenu latent, le second son contenu manifeste.*

Commençons par le second : le contenu manifeste d'un rêve est constitué par l'ensemble des actions qui forment le rêve lui-même.

Donnons un exemple pratique :

"Un jeune homme, sortant de chez lui, aperçoit un chien. Il s'agit précisément du chien qu'il avait lorsqu'il était enfant et qui, en réalité, est mort depuis longtemps. Le jeune homme avait jadis donné ce chien à sa sœur, laquelle est également décédée au moment du rêve. Le garçon reconnaît parfaitement le chien, il le caresse et l'embrasse avec joie."

Pour en revenir au concept exprimé précédemment, le double contenu du rêve réside donc dans la succession des actions : la rencontre du chien et les manifestations d'affection du jeune homme envers l'animal. A première vue, la signification du rêve ne va guère plus loin que son apparence, que ce qui est justement "manifeste".

La réalité est tout autre. Interrogé patiemment par le psychanalyste et invité à exprimer tout ce qui lui vient à l'esprit à propos de ce rêve, le jeune homme se souvint peu à peu de choses fort intéressantes. Il déclara, par exemple, qu'il avait offert ce chien à sa sœur aujourd'hui décédée. Il avait beaucoup aimé cette sœur, même si une sorte de timidité l'avait toujours empêché de lui démontrer la profondeur de son affection. A la fin de l'analyse, le psychanalyste et le jeune homme découvrirent ensemble le contenu latent du rêve : la même timidité et la même incapacité de démontrer son attachement à sa sœur (déficience dont le garçon souffrait réellement lorsque sa sœur était encore vivante) demeurent présentes chez le jeune homme, même maintenant que la jeune fille a disparu.

Il désirerait rêver d'elle et lui manifester son affection mais il est conscient du fait qu'entre adultes, même entre frère et sœur, tout échange extérieur de tendresse doit être contrôlé. Par peur des critiques ou des condamnations le garçon n'ose pas, même en rêve, étreindre sa sœur. Alors que se passe-t-il ? Il transfère son sentiment d'attachement de la jeune fille à "quelque chose" qui lui a appartenu et particulièrement à quelque chose qu'il lui a à lui-même offert : en l'occurrence, le chien. En étreignant et en caressant le chien (mort désormais comme est morte sa jeune maîtresse), le garçon peut exprimer son affection sans craindre d'être critiqué.

De ce rêve nous dirons donc que :
— *le contenu manifeste* est la rencontre du jeune homme et du chien qu'il avait possédé puis offert jadis à sa sœur ;
— *le contenu latent* est le désir de manifester à sa sœur un attachement qu'il n'avait su lui témoigner de son vivant.

Dans ce rêve, le chien aimé est le symbole sous lequel se cache la sœur. L'action de distorsion de l'image (du chien à la jeune fille) s'appelle "transfert", en ce sens qu'elle déplace le sentiment d'affection éprouvé par le jeune homme.

Donnons un autre exemple :

"Une jeune fille, à la suite d'une paralysie, est restée privée de l'usage de ses jambes. Elle rêve souvent qu'elle se trouve dans un cirque où elle accomplit des exercices d'adresse sur une corde lisse, faisant de nombreux mouvements de jambes. Le public, toujours très nombreux, l'applaudit chaleureusement. La jeune fille est très heureuse."

Le contenu latent de ce rêve ne semble pas présenter, au premier abord, de grandes difficultés. La jeune fille ne peut se servir de ses jambes ; il est donc naturel qu'elle se "défoule" en rêve et se voit, libre et agile, sous la forme

41

d'une acrobate. Le rêve contient pourtant un détail qui n'a rien à voir avec le désir de mouvement : la présence du public qui applaudit avec enthousiasme.

La jeune fille fut soumise à une analyse. Poussée à associer librement chaque élément du rêve à tout ce qui lui venait à l'esprit (méthode dite des "associations libres"), elle révéla peu à peu un vif désir de s'exhiber en public. Ce désir qui gisait dans les profondeurs du subconscient avait fait surface pendant le rêve et s'était mêlé aux images qui se référaient à un autre désir (celui de pouvoir marcher et danser librement). Les deux désirs, bien que nettement distincts l'un de l'autre, ont subi une curieuse distorsion. Au lieu de se manifester séparément, chacun par un symbole particulier, ils se sont mêlés dans le but évident de tromper mieux encore la vigilance de la conscience, laquelle devait avoir de bonnes raisons pour les étouffer. Dans ce cas, le mécanisme qui règle le "devenir" du rêve s'appelle *condensation* car les deux impulsions se mêlent et se superposent. Elles se condensent en une seule image : la jeune fille qui travaille sur la corde concentre toutes les aspirations du sujet. On pourrait donner une infinité d'autres exemples sur l'habileté... de contorsionniste dont fait preuve notre subconscient pour échapper à la surveillance que la conscience exerce à l'égard des manifestations obscures et primitives, mais, pour une compréhension exacte de l'activité onirique il nous suffira de rappeler quelques notions.

Le rêve-symbole requiert, comme nous l'avons vu, une attention profonde et la recherche de ce que nous pouvons appeler des "points d'appui" fournis par le bagage sentimental du rêveur : ses souvenirs, les pensées qui lui viennent de manière imprévue, les recoupements avec les événements passés ou les associations suggérées par l'expérience.

A ce propos, il semble opportun de citer un rêve très significatif et très intéressant :

"Un homme rêve très souvent qu'il voit une table de forme ovale, toujours la même table, autour de laquelle quelques personnes déjeunent silencieusement, en manifestant leur mauvaise humeur".

A première vue, ce rêve paraît dépourvu de signification latente qui puisse être reliée à la personnalité du rêveur. Invité à reprendre tous les éléments du rêve et à les associer librement à tout ce qui lui vient à l'esprit, le rêveur se souvient brusquement qu'il a déjà vu dans la réalité "cette" table qui l'obsède. Il dit qu'il l'a vue chez des amis. Lorsque l'on pousse le sujet à parler de ces amis, de leur vie, de leurs rapports et de tout ce qui lui passe par la tête à leur propos, il révèle qu'il a remarqué que ces personnes nourrissent un sentiment de rancune à l'égard de leur père.

A la fin de l'analyse, on découvre que le rêveur lui aussi est tourmenté par un sentiment analogue envers son père. Après la confession de ce sentiment, la démarche n'est plus difficile. Dans ce cas un "complexe" inopportun a été refoulé car on a pu, à travers le rêve, retrouver son origine : le sentiment d'hostilité envers le père que le sujet nourrissait, sans le savoir, dans les profondeurs de son être.

Dans le rêve examiné la table représentait donc le symbole sous lequel se cachait un sentiment coupable.

Naturellement des analyses de ce genre requièrent l'assistance intelligente et attentive d'un psychanalyste. Il nous semble pourtant assez logique de penser que, même grâce à une connaissance partielle des théories et des méthodes de cette science, il doit être possible de tirer des éclaircissements quant à l'interprétation de nos propres rêves, s'il est admis que nous faisons partie de ces gens qui ont la chance d'avoir un équilibre psychique qui puisse se passer des services d'un psychanalyste.

Mais même les personnes absolument normales auront tout avantage à apprendre à mieux se connaître, à travers l'analyse, la plus complète possible, de "ce qui se passe dans leurs rêves".

Les symboles psychanalytiques les plus courants

Arrêtons-nous encore un moment sur les rêves les plus courants que la psychanalyse associe aux images "mises en scène" par notre subconscient pendant son activité onirique. Les choses qui trouvent en rêve une représentation symbolique ne sont pas très nombreuses.

La représentation typique constante de la *personne humaine* est la maison. Généralement : une *maison* aux murs lisses indique l'homme, alors qu'une *maison* présentant des saillies indique la femme.

La *féminité*, liée à l'idée de la maternité, est symbolisée par des objets ayant une forme creuse (comme par exemple les boîtes, les malles, les puits, les navires, les poêles, les pièces, les armoires etc.).

La *mère* se présente, habituellement, sous les symboles de la maternité (sein, lait, robe, berceau, etc.), ou de la puissance (reine, femme puissante, tyrannique, etc.).

La *virilité* est symbolisée par tout ce qui est linéaire ou sert à frapper (comme par exemple un bâton, un parapluie, un pieu, un couteau, une arme à feu, etc.).

L'homme est généralement symbolisé par des militaires ou des démons, la *femme* par des tables, des statues, des bouquets de fleurs, ou encore par des paysages, des fruits ou du linge.

Les *rapports amoureux* se manifestent par des images d'escaliers (montée ou descente), de cavalcades ou de convois ferroviaires lancés à grande vitesse.

Le *père* est vu sous l'aspect d'un empereur, d'un tyran, d'une autorité en général, de Dieu parfois.

Les *frères* et les *sœurs* comme des bestioles ou des insectes.

La *mort* est souvent représentée comme un départ.

La *naissance* est représentée par l'eau et par tout ce qui a un rapport avec l'eau.

L'innocence, comme contraire du *péché*, par des lys, des fleurs blanches ou des branches d'olivier tenues en main.

La *vie instinctive* est symbolisée par des forêts sauvages.

La *force* par des animaux féroces.

La *discorde en amour ou en famille* par des aiguilles, des pointes, etc.

Les désirs et les espoirs par tout ce qui est élevé (ciel, étoiles, rayons de soleil, etc.).

Ce premier coup d'œil montre déjà clairement que la symbolisation psychanalytique n'est en rien extravagante, mais correspond à des images qui, bien souvent, ont la même valeur de symbole dans la tradition populaire (comme, par exemple : le lys pour l'innocence, et ainsi de suite).

La clef divinatoire

Les rêves dans la doctrine de l'occulte

Dieu dit dans les Saintes Ecritures qu'il étendra son esprit à toutes les créatures, que les fils et les filles prophétiseront, que les anciens auront des rêves et les jeunes générations des visions.

Toute l'histoire antique, sacrée et profane, est riche en exemples de songes prophétiques et divinatoires.

Bien que les hommes modernes aient longtemps souri à l'évocation de ces "fureurs prophétiques" et de la "présomption" humaine tendant à faire intervenir la divinité à tout propos, même dans les questions les moins importantes, il semble aujourd'hui certain, étant donné l'énorme documentation réunie, que la conception du songe prémonitoire et prophétique ne puisse plus être rejetée en bloc.

D'ailleurs, la science ne peut, avec des moyens humains, expliquer certains phénomènes ; alors toutes les hypothèses et, pourquoi pas ? tous les espoirs peuvent trouver leur juste place et leur juste dimension. La tradition divinatoire dans le domaine de l'oniromancie est naturellement beaucoup plus ancienne que les conceptions psychanalytiques, qui remontent à moins d'un siècle.

Nous avons déjà parlé, dans le premier chapitre, de la fonction que le rêve assumait pour nos aînés. Les origines de la tradition divinatoire se perdent dans les premières lueurs de la civilisation humaine. Selon cette tradition, les rêves nous sont transmis lorsque notre âme, libérée de ses liens charnels par le sommeil, qui est perte de conscience, peut entrer en contact avec l'au-delà et obtenir des images d'événements qui ne se sont pas encore produits. Ces événements sont, bien souvent, cachés sous des symboles. (Sur ce point précis, la divination rejoint la psychanalyse même si, naturellement, les moyens d'expression du symbole et les théories qui s'y rattachent diffèrent d'une conception à l'autre.) La divination fait partie d'une catégorie plus vaste : l'occultisme.

Qu'est-ce que l'occultisme?

On appelle "occultisme" l'ensemble des théories qui s'occupent des phénomènes dont les causes échappent à l'investigation humaine et qui, généralement, contrastent, au moins en apparence, avec les lois de la nature déjà connues.
Selon les occultistes, le dédoublement de l'être en "moi" psychique et "moi" astral a lieu à l'état de veille et plus souvent encore pendant le sommeil. La divination se manifeste lorsque l'âme, débarrassée de son enveloppe corporelle, réussit plus aisément à communiquer avec le monde spirituel.

La divination ou clairvoyance des événements futurs

On trouve dans le Livre II du *De divinatione* de Cicéron une nette distinction entre les moyens dont se sert la divinité pour communiquer avec les hommes. Cette distinction était courante dans l'Antiquité.
Cicéron partage le phénomène divinatoire en *divination spon-*

tanée ou *naturelle* ou encore *directe*, et en divination *artificielle* ou *indirecte*.

La seconde ne concerne pas l'oniromancie (il s'agit en effet de divination à travers l'observation des astres, du vol des oiseaux, des viscères d'animaux etc.).

La première (celle qui nous intéresse) traite des formes de communication immédiate entre la divinité et l'homme :

a) *l'extase* ou *furor divinus* (c'est le cas des Sibylles de l'Antiquité) ;

b) *les oracles* (le plus célèbre : celui d'Apollon à Delphes).

La divination dans l'Antiquité

La divination qui s'accomplit alors que l'homme est plongé dans le sommeil peut se réaliser sous différents aspects :

1. *Le rêve* : dans le rêve, la vérité se présente sous une forme cachée. Parmi les songes de l'Antiquité, l'un des plus fameux est celui du Pharaon d'Egypte. Ce rêve fut jadis interprété par Joseph fils de Jacob (on en parle dans la Bible), qui devait lui-même devenir célèbre, entre autres, grâce à un rêve très connu qui devait être brillamment interprété par Freud et d'autres psychanalystes. Le Pharaon rêva donc de sept vaches grasses immédiatement suivies de sept vaches maigres qui les dévorèrent. Ensuite lui apparurent sept épis de blé chargés de grains et sept épis desséchés qui dévorèrent les premiers. L'interprétation du rêve donnée par Joseph (il y aura sept ans d'abondance suivis de sept ans de famine) permit au Pharaon de remplir ses greniers, sauvant ainsi la population d'une mort certaine.

2. *La vision* : la vision nous montre exactement pendant que nous dormons ce que nous verrons à l'état de veille.

A ce propos, la vision de Galba (3 av. J.-C. - 69 ap. J.-C.) est restée célèbre.

Alors qu'il dormait, il vit venir à lui un homme qui lui déclara qu'il deviendrait empereur, succédant à Néron, dès que ce dernier se serait fait arracher une dent. Le matin, à peine sorti de ses quartiers, Galba rencontra le médecin du camp qui lui dit avoir arraché une dent à l'empereur. Peu de temps après Néron était assassiné et Galba prenait sa place sur le trône de Rome.

3. *L'oracle* : les anciens nommaient ainsi la "réponse" que les païens donnaient, par la bouche des devins ou des pythonisses, aux questions qui leur étaient posées par les hommes. On appelait aussi oracle le lieu où ces devins résidaient, comme l'oracle de Jupiter à Olympie et celui d'Apollon à Delphes.

L'oracle se produisait souvent pendant le sommeil et avait la valeur d'un avertissement qu'un être du monde invisible donnait à un mortel pour le pousser à accomplir son destin dans le sens voulu par la divinité. Il existe des temples grecs où les fidèles avaient l'habitude d'aller dormir, dans l'espoir de recevoir des oracles au moyen de songes divinatoires : c'est-à-dire de rêves d'origine ultra-terrestre. On trouve dans Homère une division des oracles en deux catégories : ceux auxquels on peut croire et ceux auxquels on ne peut prêter foi.

Les rêves prémonitoires

Dans le langage technique adopté par la "Society for Psychical Research" de Londres, on entend par "rêve prémonitoire" *l'annonce supranormale d'un événement futur, quel qu'il soit*. Ces rêves représentent la forme la plus courante de la croyance populaire. Dans l'Antiquité, le plus grand théoricien de l'oniromancie, Artémidore d'Ephèse, qui vécut en Grèce au deuxième siècle de notre ère, parla abondam-

ment du rêve prémonitoire dans un de ses célèbres traités
. (l'*Onirocritique*), qui demeure ce qu'on a écrit de mieux sur
l'interprétation divinatoire des rêves. En plus des règles
pratiques données par Artémidore pour l'interprétation des
rêves, il traite de la prémonition qui vient à l'homme à
travers une lecture exacte de ses songes. Artémidore donne
un exemple dont l'authenticité ne peut être mise en doute :
le célèbre songe du "marchand de parfums".

Ce marchand révéla à l'auteur un rêve dans lequel il s'était
vu "sans nez". Or il est évident que, pour un parfumeur
de l'Antiquité, la perte de nez (instrument de travail) était
la chose la plus grave qui pût lui arriver. "Eh bien —
nous raconte Artémidore — ce rêve se répéta par trois
fois, pendant un certain laps de temps. A chaque fois les
conséquences du songe furent désastreuses : après le premier,
les affaires du parfumeur se mirent à aller mal ; après le
second, ruiné, il se lança dans quelque trafic et perdit sa
liberté personnelle ; enfin, après le troisième rêve, il lui
arriva le dernier malheur qui pouvait encore le frapper :
il mourut."

Les psychanalystes qui ont étudié le rêve du "nez" du marchand en ont donné une interprétation qui diffère beaucoup
de celle d'Artémidore (Artémidore avait prévu la mort de
l'homme après sa ruine financière). Ils soutiennent que, si
le marchand avait vécu de nos jours, il aurait pu, grâce à
la psychanalyse, libérer son inconscient des forces qui le
poussaient vers la faillite. (Entre parenthèses, disons que,
selon les psychanalystes, tout homme qui rêve régulièrement
de quelque chose ressemblant à une prévision funeste, ferait
bien de consulter un médecin spécialisé, car le rêve pourrait
être l'expression d'un "trouble" ou d'une "altération" psychique.)

Ce point précis nous éclaire sur les "contacts" qui ont lieu
inévitablement entre le monde obscur de l'inconscient et

ceux qui l'affrontent, soit de manière traditionnelle (divination, prémonition, etc.), soit par la méthode scientifique (psychanalyse). Du reste, il existe un rêve universellement connu, le "rêve de Joseph", que la psychanalyse a abondamment interprété.

Joseph, avant-dernier fils de Jacob et de Rachel, destiné, comme nous l'avons déjà dit, à sauver son peuple de la famine (les Juifs furent invités en Egypte par le Pharaon, qui était reconnaissant à Joseph d'avoir interprété le rêve des sept vaches grasses et des sept vaches maigres), eut dans sa jeunesse un songe prophétique qui se déroula en deux temps.

Dans un premier temps, il rêva que les gerbes de blé de ses frères s'inclinaient sur son passage en signe d'hommage ; en second lieu, que la lune et les étoiles accomplissaient à son égard un acte d'adoration. Il faut ajouter, pour l'histoire, que mal lui en prit au début de raconter son rêve, car ses frères, jaloux, se mirent en colère et le vendirent pour vingt pièces de monnaie à des marchands qui voyageaient vers l'Egypte, faisant commerce de substances aromatiques. Evidemment tout avait été prévu par le destin (ou par la divinité) pour que puisse s'accomplir ce qui devait s'accomplir. La valeur prophétique du "rêve de Joseph" ne fut nullement entamée par l'interprétation qu'en donnèrent les psychanalystes. Pour Freud ce rêve est l'expression d'un sentiment coupable de supériorité nourri par le jeune Joseph à l'égard de son père et de ses frères ; ce sentiment, repoussé par la conscience, se serait précisément manifesté en rêve, sous le symbole de l'hommage rendu à Joseph et non aux autres membres de sa famille.

Selon Fromm, au contraire, le sentiment fondamental du rêve est la véritable, l'authentique intuition que Joseph, innocent, eut de sa supériorité ; il ne s'agit donc pas d'un sentiment de faute, mais de la prise de conscience d'une grande vocation.

Ce sentiment, toujours selon Fromm, ne pouvait s'exprimer à l'état de veille, car Joseph, bien qu'il fût innocent, craignait la réprobation sociale au cas où il aurait réellement, consciemment, envisagé pour lui un tel destin. Quoi qu'il en soit, si l'on désire interpréter ce rêve, il faut admettre que l'on se trouve devant un cas exceptionnel d'intuition, saisie par l'inconscient avant de l'être par la conscience. On pourrait dire que la prémonition jaillit d'une vision interne que le sujet a de lui-même et de son propre destin.

Naturellement, les "intuitions" de ce genre sont rares. Quelquefois, la suggestion, une coïncidence ou une série de coïncidences peuvent faire croire au sujet qu'il a eu une vision ou un rêve prémonitoire. Ainsi la *télépathie* (phénomène sur l'authenticité duquel plus aucun doute n'est permis) peut intervenir et susciter des visions nocturnes qui ne sont rien d'autre que la projection en images d'une pensée "captée" mystérieusement par notre cerveau. On connaît de nombreux cas de songes télépathiques (par exemple, voir en rêve l'arrivée d'un ami qui, juste au même moment, pense à venir vous rendre visite et qui, par la suite, met réellement son projet à exécution).

Parmi les rêves télépathiques les plus célèbres mentionnons celui de Calpurnia, quatrième femme de Jules César, qui rêva la mort de son mari la nuit précédant les ides de mars (jour où César mourut réellement, et exactement de la façon dont l'avait rêvé son épouse, c'est-à-dire poignardé). Ce rêve fut expliqué par le fait que l'un des conjurés aurait longuement pensé à Calpurnia, à la douleur qu'elle éprouverait à la mort de son mari, etc., au point d'influencer son esprit et, par conséquent, de provoquer le rêve. De toute façon, il reste toujours dans l'explication d'un tel rêve (et de bien d'autres) quelque chose de mystérieux : c'est l'élément que l'on appelle, lorsqu'il se vérifie ensuite dans la réalité, "élément prémonitoire".

Cette prémonition, de quelque source qu'elle provienne, ne peut que troubler les hommes par sa valeur prophétique. Souvenons-nous qu'au Moyen Age le mystère et les symboles du rêve étaient considérés, d'un façon expéditive, comme des œuvres du démon. Les rêves étaient attribués, en bloc, aux forces infernales : cela créait une suggestion générale à laquelle on doit, selon de nombreux témoignages, le fait que les visions nocturnes des hommes du Moyen Age aient été peuplées d'images terrifiantes ; de plus, à l'état de veille, mieux valait ne pas parler de ces visions si on ne voulait pas courir le risque d'être accusé de sorcellerie.

C'est au XVIe siècle que vécurent quelques-uns des plus grands devins, comme Gauric, Ruggieri, Cardano, Nostradamus : noms fabuleux qui pendant des siècles allaient enflammer l'imagination des hommes et qui, aujourd'hui encore, suscitent la curiosité et l'intérêt. Naturellement, leurs théories ne sont souvent qu'un amalgame de conceptions fantaisistes mais, comme le disent les passionnés d'occultisme, elles auraient donné en pratique des résultats stupéfiants. Notre propos n'est pas d'entrer ici dans une discussion qui nous entraînerait trop loin. Contentons-nous de rappeler quelques affirmations de ces hommes extraordinaires.

Gauric dit : « Tous les êtres vivants, et non pas seulement certains, ont un œil clair-voyant et une oreille clair-entendante. »

Cardano : « La subconscience dans le sommeil est comme une station réceptrice de messages ou de visions astrales émanant de l'esprit du clairvoyant alors que celui-ci visite certaines hautes régions où l'on peut découvrir des merveilles jamais ou pas encore réalisées sur la terre. »

Nostradamus : « Les occultes visions des prophètes ne proviennent pas seulement des longs calculs astronomiques, mais de l'aide de Dieu et des Anges et, quelquefois, d'une perception inquiète difficilement explicable. »

On trouve dans la phrase de Nostradamus une allusion à l'astrologie. En effet, selon les théories de l'occultisme, la réalisation ou la non-réalisation des songes prophétiques dépendrait des positions astrales. Les occultistes pensent que Neptune règne sur le monde invisible et que la Lune est l'antenne qui transmet son effet sur la terre.

Rêves prophétiques modernes

Nous ne citerons qu'un seul rêve prophétique qui s'est vérifié de nos jours, mais son cas est si exceptionnel qu'il ne peut laisser indifférent.

Il s'agit du rêve que fit Monseigneur Lànyi évêque d'Oradea, une petite ville roumaine, dans la nuit du 27 au 28 juin 1914.

L'évêque rêva qu'il était en train de lire son courrier. Parmi les lettres, il en vit une qui portait le sceau impérial. Il l'ouvrit. La lettre était bordée de noir. Elle disait textuellement : « Je vous communique qu'aujourd'hui, à Sarajevo, je tombe victime avec ma femme d'un lâche assassinat politique. Nous nous confions aux pieuses prières et au sacrifice de la Sainte Messe. Nous vous prions de penser toujours avec affection et fidélité à nos pauvres enfants comme par le passé. »

La lettre était signée par l'archiduc François-Ferdinand d'Autriche. Suivait la date : « Sarajevo, 28 juin 1914, 3 heures et demie du matin. »

Le rêve de l'évêque se terminait par une vision hallucinante : une voiture, dans laquelle se tenaient l'archiduc accompagné de sa femme et d'un général, sur le siège arrière, un autre général et le chauffeur sur le siège avant, était attaquée par deux jeunes gens, alors qu'elle traversait la ville en direction d'un défilé militaire. Les jeunes gens lançaient une bombe. Tous les occupants étaient tués sur le coup. Dès son réveil, attristé et ému, l'évêque s'empressait de transcrire la lettre qu'il avait lue en rêve. Il célébra ensuite la messe en priant pour l'archiduc et sa femme. C'était l'aube du 28 juin 1914. Quelques heures plus tard, à onze heures exactement, le couple princier était victime d'un attentat (deux coups de pistolet tirés par un certain Gavrilo Princip). Le rêve rejoignait ainsi la réalité.

Cet épisode visionnaire demeure très impressionnant, même si le rêve diffère quelque peu des événements réels. L'évêque vit exactement la voiture et ses occupants. Quant à l'attentat à la bombe, il eut réellement lieu, perpétré par un certain Gabrinovic. En fait, l'archiduc venait d'échapper à cette première tentative d'assassinat lorsqu'il fut attaqué à coups de pistolet. D'autre part, dans le rêve, deux assassins étaient apparus agissant ensemble, alors qu'en réalité ils procédèrent séparément (l'un avec une bombe, l'autre avec une arme à feu). Le fait le plus frappant est qu'on ne peut parler ici de "songe télépathique", car le rêve se produisit sept ou huit heures avant l'attentat. Même en admettant que l'esprit de l'évêque se trouvait "prédisposé" au rêve, par le fait que l'archiduc était son ami et que son sort devait le préoccuper, l'épisode reste extrêmement déconcertant et inexplicable.

Les limites imposées à ce volume nous empêchent d'aller plus avant dans l'examen des "rêves prémonitoires". Nous renvoyons les lecteurs intéressés par la question à un livre qui fait foi en la matière : *Rêves prémonitoires* d'Arthur Schopenhauer, publié pour la première fois à Berlin en 1851. Il convient d'être fort prudent avant d'attribuer à un rêve un caractère prophétique. Même si l'on connaît beaucoup de rêves qui, par la suite, se "vérifient" (quelquefois ces rêves concernent de petits faits de la vie courante : celui de "l'encrier" renversé par Schopenhauer sous son bureau est resté célèbre : la domestique qui faisait le ménage chez lui avait rêvé l'épisode la nuit précédente, voyant exactement le point où l'encre se serait répandue), il faut se garder de les considérer tous comme des messages extra-terrestres.

Les connaissances actuelles ne permettent pas de formuler une théorie certaine à ce propos. Il n'existe aucune explication scientifique des phénomènes de rêves prémonitoires et de télépathie en général. On peut tout au plus penser que, de même que l'instinct pousse les chiens à hurler en cas de danger, l'inconscient humain, par des voies encore mystérieuses, recueille des informations qui échappent à la perception normale et permettent, dans certains cas, de se rapprocher de la réalité future.

La tradition populaire associe les images vues en rêve à certaines significations que de nombreux livres présentent comme étant fixes et immuables.

Il s'agit selon nous d'une grave erreur. La clef d'interprétation d'un rêve ne peut être forgée en dehors de la personnalité du sujet rêvant.

La clef de l'interprétation divinatoire

Dans son livre sur les rêves (l'*Onirocritique* déjà cité) Artémidore donne quelques conseils vraiment précieux et très audacieux pour son époque. D'une certaine manière, il pressent ce qui deviendra plus tard la base de la psychanalyse moderne.

Pour Artémidore, l'interprétation des rêves doit reposer sur le principe de *l'analogie*, c'est-à-dire sur le rapport entre les choses matérielles participant au rêve et celles qui peuplent la vie réelle du sujet. En effet, il soutient, avec cette étonnante clarté qui caractérise l'esprit athénien qu'il faut, dans l'interprétation, tenir compte de la nature, de la loi, du nom et du lieu où vit le rêveur ; et pour le sujet en particulier, de ses mœurs, de sa profession, de son caractère, etc. Le même rêve peut avoir des significations tout à fait différentes selon la personnalité du rêveur.

Cela est précisément l'enseignement des théories psychanalytiques modernes.

Il est donc impensable et absolument faux de considérer le "livre des rêves" comme un dictionnaire où chacun pourrait trouver, au mot recherché, la signification correspondante et la réponse à toutes les questions posées par son rêve.

De tels livres, basés sur la tradition, ne sont intéressants que parce qu'ils reflètent les idées communes aux divers peuples, idées sur lesquelles se greffent les symboles (par exemple, le serpent est traditionnellement le symbole du mal ; l'eau, le symbole de la fertilité et de la vie ; le vautour, le symbole de la mort, etc.).

Cependant, les symboles ne doivent pas être considérés de façon rigide, mais "interprétés" en fonction d'autres éléments fournis par la nature même du rêveur. Dans cette optique, la connaissance des symboles traditionnels peut être utile dans l'interprétation d'un rêve et dans la recherche d'une signification prémonitoire.

A la fin de ce développement théorique, le lecteur trouvera un dictionnaire des symboles qui est la synthèse des recherches menées par les spécialistes les plus documentés de la tradition divinatoire.

Répétons encore notre avertissement : ce dictionnaire doit être utilisé avec intelligence. Le lecteur devra s'en servir comme "guide" et comme "point de départ" pour établir l'interprétation, non seulement de ses rêves, mais aussi, en quelque sorte, de sa personnalité, à laquelle les rêves sont liés.

Comment interpréter les rêves

Le lecteur qui nous aura suivis jusqu'ici sera désormais en mesure de se faire une idée claire de la difficulté contenue dans la question : comment interpréter les rêves ?

Nous avons vu quelles sont les réponses que la psychanalyse d'une part, l'occultisme d'autre part, donnent au problème posé par l'activité onirique. Mais le lecteur moyen qui, par chance, n'a pas besoin de recourir à l'assistance de la psychanalyse, voudra certainement savoir quels enseignements pratiques il peut tirer de tout ce que nous avons vu ensemble.

Nous allons nous efforcer de répondre à son attente, en regroupant dans ce chapitre quelques-unes des règles pratiques qu'il lui faudra étudier attentivement avant de tenter l'interprétation d'un rêve. Il s'agira d'une espèce de mémento qui, à notre avis, se révélera fort utile au moment de commencer une interprétation personnelle.

1. La première règle consiste à reconstituer au réveil, grâce à la mémoire, le rêve qui nous intéresse. Si cela est possible, en faire immédiatement le compte rendu par écrit. A ce propos, la première chose dont il conviendra de se méfier est cette sorte de rêverie du demi-sommeil ; état assez dangereux pour une interprétation fidèle du rêve, car il pousse le sujet à "broder" inconsciemment autour des choses effectivement rêvées, en ajoutant ou en supprimant certains détails. Un autre danger est ce qu'il est convenu d'appeler la "mau-

vaise mémoire". Il est fréquent, en effet, que le sujet, tout à fait inconsciemment, c'est-à-dire sans s'en rendre compte, répugne à se souvenir d'un rêve qui pourrait engendrer en lui quelque impression défavorable et, par conséquent, se hâte de l'oublier.

2. Examiner les choses vues, dans l'ordre du déroulement de l'action (par "les choses", nous entendons vraiment tous les éléments du rêve, y compris les détails qui, à première vue, pourraient sembler dépourvus de sens ou d'importance).

3. Découvrir le "contenu manifeste" du rêve, c'est-à-dire la signification évidente du récit que nous venons de construire précisément en situant les actions dans un ordre chronologique.

4. Situer immédiatement à l'intérieur du rêve le rêveur lui-même, c'est-à-dire en définir le rôle. Quelquefois ce rôle saute aux yeux ; d'autres fois, il faut le découvrir par une enquête patiente. Lorsque la place du sujet rêvant n'est pas claire, on peut le remplacer provisoirement par un sujet onirique, c'est-à-dire la personne qui, dans le rêve, tient le rôle principal (ne vous souciez pas pour le moment de savoir s'il s'agit d'un symbole sous lequel se cache la personnalité du rêveur).

5. Après avoir découvert le sens évident du rêve et fixé le rôle du protagoniste en organisant autour de lui les actions secondaires, étudier patiemment, une à une, toutes les circonstances du rêve, puis tous les objets et toutes les personnes rêvés. Pour chaque élément s'efforcer de se souvenir de tout ce qui peut lui être associé : événements, personnes, actions, ou autres, dont nous avons eu connaissance à l'état de veille.

6. Recommencer cette opération, nom par nom, ou circonstance par circonstance, en mettant par écrit tout ce que le mot en question nous suggère, même s'il nous semble qu'il s'agit de faits très éloignés de la signification du rêve.

7. Chercher dans le *Dictionnaire des Symboles* la signification traditionnelle de chaque élément du rêve ; l'écrire et comparer avec les mots déjà écrits pour découvrir les éléments communs.

Le matériel ainsi réuni constitue ce que l'on appelle généralement le "matériel onirique".

A ce moment, les éléments nouveaux auront certainement éclairé d'une lumière plus riche chaque terme du rêve.

8. Si, dans un premier temps, nous avions introduit dans l'action un "protagoniste provisoire" nous devrons maintenant chercher à savoir si le matériel regroupé ne nous permet pas de découvrir la véritable personnalité du protagoniste ; c'est-à-dire à établir si ce personnage ne recouvre pas une partie de notre personnalité qui aurait émergé grâce aux éléments revécus par le souvenir. En cas de réponse positive, prendre la place du sujet onirique et "lire" à nouveau le rêve en "chargeant" chaque action des significations que nous avons déjà découvertes.

9. Ces significations nous donneront certainement une vision, plus ou moins claire, des buts cachés du rêve. Son propos nous apparaîtra sans doute sous un aspect différent de celui que nous avait livré le contenu manifeste.

Nous aurons alors découvert le sens véritable du rêve : son "contenu latent".

10. Voici enfin la dernière règle, fondamentale, surtout pour ceux qui désirent avoir une certaine connaissance de leurs rêves tout en ne possédant pas le temps ou le talent nécessaire à une enquête poussée : *observer attentivement l'état d'esprit dans lequel on se réveille après un rêve.*

Si cet état d'esprit est fait de sérénité et de calme, il est à peu près certain que le rêve, quelle que puisse être sa signification spécifique, *n'annonce rien de redoutable* (même s'il était composé d'images effrayantes).

Si, au contraire, on se réveille dans un *état de tension et de douleur*, le rêve peut être un avertissement de danger, quel que soit son contenu précis.

Voilà donc tracés, le plus clairement possible, les chemins que le rêveur doit emprunter pour tenter de "voir dans l'obscurité et de comprendre ce qui apparaît caché".

Souvenons-nous de cette phrase d'Hamlet, dans la tragédie de Shakespeare. Le jeune prince s'adresse à son ami et lui dit : "Il y a plus de choses sur la terre et dans le ciel, Horatio, que votre philosophie n'en rêve."

Cette citation exprime exactement le sentiment que nous voudrions communiquer à nos lecteurs : sentiment du mystère dont chacun de nous fait partie. Les rêves s'inscrivent aussi dans ce mystère.

Nous cherchons — dans la mesure du possible — à mettre en lumière les éléments qui peuvent intéresser les lecteurs et nous nous efforçons de le faire de la manière la plus simple et la plus directe, en tenant compte de la vocation vulgarisatrice de ce livre, lequel s'adresse à un public fort vaste parmi lequel se trouveront certainement des personnes absolument démunies de connaissances scientifiques.

TROISIÈME PARTIE

Dictionnaire des symboles rêvés

Historique

Le mot cabale ou kabbale, provenant de l'hébreu (*qabbalah*) signifiait interprétation, explication, clarification de l'obscur. Il fut d'abord utilisé par le peuple juif pour désigner l'explication et l'interprétation de la Bible. Par la suite, il devint le terme le plus indiqué pour désigner les arts magiques ou la sorcellerie. Depuis les époques les plus reculées, le monde des rêves a toujours constitué une inconnue pour l'homme et celui-ci a sans cesse tenté d'en donner une explication, créant une science interprétative qui n'est pas seulement divination, mais peut devenir anticipation de la réalité.

Cette science, appelée oniromancie (ou interprétation et divination des rêves) était connue et pratiquée dans l'Antiquité par les Egyptiens, les Chaldéens, les Arabes, les Persans, les Grecs et les Romains.

Dans la Grèce antique, les rêves exerçaient même une influence déterminante sur la religion au moyen des fameux verdicts "sibyllins", presque toujours difficiles à interpréter. Pour les Babyloniens, l'interprétation des rêves jouissait d'une si haute considération que certains prêtres s'y consacraient exclusivement, employant leur sagesse à traduire les volontés de "Bamas", dieu du soleil et seigneur des "claires et pures visions".

Le peuple hébreu, qui, comme nous l'avons dit, avait forgé le mot cabale, tenait le rêve comme un phénomène de la plus grande importance, comme l'expression de la volonté de Dieu. Il y eut, selon la Genèse, des personnes douées de pouvoirs particuliers pour interpréter les rêves, pouvoirs qui transformaient l'interprétation en messages divins.

De nos jours, personne ne se consacre à cette seule activité. L'individu cherche lui-même à percer le secret de ses rêves, leur attribuant quelquefois la signification qui lui convient le mieux ou s'en remettant à des livres spécialement édités à ce propos.

Qu'est-ce donc que le rêve ? Pour les Egyptiens, les rêves étaient de mystérieux messages envoyés par la déesse Isis à des fins de conseil et d'avertissement. Selon Schopenhauer, le rêve est "l'anneau, le pont qui relie la conscience de l'état somnambulique à la conscience de l'état de veille".

Il est certain que l'on peut en quelques secondes rejoindre en rêve les pays les plus lointains ou les cimes les plus inaccessibles, de même que l'on peut se transformer en héros de légende ou en protagoniste d'aventures exceptionnelles.

Le psychologue allemand Werner Kemper écrit : "Pendant le rêve, nous pouvons développer des qualités qui, à l'état de veille, nous sont tout à fait étrangères, nous pouvons nous transformer en monstres à apparence humaine par attrait du pouvoir, par envie, par désir de vengeance, par haine ; nous pouvons tuer la personne que nous aimons le plus de la manière la plus cruelle qui soit, de sang-froid ; nous pouvons, au contraire, nous réconcilier avec notre pire ennemi. En rêve, nous devenons capables de tous les crimes, de toutes les perversités."

Freud avait raison lorsqu'il déclarait que son livre traitant de l'interprétation des rêves déchaînerait les passions. Comment donc nous orienter dans un domaine si chaotique, si fantaisiste et en même temps si sérieux ?

En faisant simplement confiance à l'interprète des rêves. La foi dans la valeur des rêves s'est répandue à travers les siècles parmi les personnes les moins cultivées, avec une dose de superstition plus ou moins élevée selon les peuples. On en vint à préparer de véritables livres sur ce sujet, livres qui, en indiquant l'interprétation séparée de chaque image, permirent à quiconque de comprendre le mystérieux message des rêves. Ces premiers livres remontent fort loin, peut-être à l'ancienne civilisation babylonienne. "La clef des songes" d'Artémidore d'Ephèse, devin grec en est un exemple. Quoi qu'il en soit, toutes les études tendent à considérer le rêve, non comme un phénomène surnaturel, mais comme un phénomène naturel conçu par nos facultés sensorielles. Selon les traditions les plus anciennes, les rêves n'ont une importance révélatrice que dans la nuit du mercredi pour les affaires et dans la nuit du vendredi pour les choses de l'amour. On considère comme dépourvus de valeur les rêves produits pendant les premières heures du sommeil ; ceux qui traitent de choses ou de personnes dont on a récemment parlé ou entendu parler ; les cauchemars fébriles provenant de soucis, d'une peur, d'une lecture, d'un spectacle, d'un fait divers ; les rêves dépendant de la position de la personne endormie ; les rêves engendrés par des causes externes comme les orages, le froid, la chaleur et le bruit.

Parmi les personnes qui désirent interpréter les rêves, nombreuses sont celles qui cherchent à en tirer, non une signification, mais un chiffre utilisable dans les jeux de hasard. C'est à elles qu'est dédiée la "clef d'Or" des Egyptiens qui, aujourd'hui encore, reste digne d'intérêt.

Pendant le sommeil, les petites indispositions comme les grandes maladies peuvent provoquer des rêves inquiets. La science orientale attache une grande importance à cet argument : les médecins indiens, chinois et même japonais se servent depuis des siècles de la nature des rêves de leurs patients pour diagnostiquer les maladies.

Janvier	pour les rêves des jours	1-19-27-31	Vous en serez contents
	pour les rêves des jours	13-23	Ils vous seront contraires
Février	pour les rêves des jours	7-8-18	Ils seront bons
	pour les rêves des jours	1-10-15-23	A négliger
Mars	pour les rêves des jours	3-9-11-22	A ne pas mentionner
	pour les rêves des jours	13-19-23-28	A considérer avec méfiance
Avril	pour les rêves des jours	4-25	Ils se réaliseront bien
	pour les rêves des jours	10-19-29-30	Rêves néfastes
Mai	pour les rêves des jours	1-2-6-9-13	Rêves propices
	pour les rêves des jours	11-17-20	A prendre en considération
Juin	pour les rêves des jours	3-6-12-15-24	Ils se réaliseront
	pour les rêves des jours	7-17	Néfastes
Juillet	pour les rêves des jours	2-7-10-21-29	Ils seront bons
	pour les rêves des jours	3-13-27	Le sort est défavorable
Août	pour les rêves des jours	5-7-10-13-19	A ne pas mentionner
	pour les rêves des jours	2-13-27-31	Ils n'auront pas de résultats
Septembre	pour les rêves des jours	6-10-15-18-30	Grande chance
	pour les rêves des jours	12-15-21-25	Rêves néfastes
Octobre	pour les rêves des jours	13-16-23-29	Bons rêves
	pour les rêves des jours	4-9-26	Rêves de mauvais augure
Novembre	pour les rêves des jours	7-12-21-29	Rêves agréables
	pour les rêves des jours	5-13	Ils ne donneront pas de résultats
Décembre	pour les rêves des jours	9-14-28	Propices et joyeux
	pour les rêves des jours	11-27-31	Non propices

Dans le monde psychanalytique, d'autre part, l'interprétation des rêves peut servir pour le traitement des troubles psychiques. En effet le rêve, pour qui sait l'interpréter parfaitement et selon les règles de la science onirique, peut être très souvent le symptôme de conflits qui se produisent dans l'esprit d'un individu.

Pour l'explication exacte d'un rêve il faut, en général, que celui-ci ait été fait à l'aube, de façon que l'individu soit débarrassé des émotions diverses éprouvées pendant la journée précédente et qu'il se souvienne du rêve sans hésitation au moment du réveil. Il ne faut pas accorder un caractère de certitude absolue à l'interprétation des rêves. Il est donc nécessaire de distinguer l'imagination des réminiscences et du reflet de nos préoccupations.

En Extrême-Orient, on prétendait jadis qu'il était possible, au moyen de prescriptions, d'amulettes et d'invocations, de contrôler ses rêves, favorisant ainsi la production de rêves agréables et éliminant les rêves pénibles. On recommandait alors de placer trois feuilles de laurier près de la tête du dormeur avant le sommeil. Naturellement, le mystérieux message nocturne, dont la connaissance a tourmenté et tourmente encore l'humanité émane, généralement, d'une conscience tranquille et d'un cœur paisible. L'individu rongé par des désirs insensés ou par le remords ne fera jamais de bons rêves.

Les dialogues philosophiques de Renan nous apprennent que "les rêves sont la meilleure et la plus douce partie de notre vie, le moment où l'homme est lui-même sans aucun voile". Pythagore a écrit : "Le sommeil, le rêve, l'extase sont les trois portes ouvertes vers le monde surhumain d'où nous viennent la science de l'âme et l'art de la divination."

Les Saintes Ecritures enseignent que : "Dieu se sert des rêves afin que l'homme puisse voir à travers les ténèbres." Truman Capote déclare pour son compte que : "L'homme qui ne rêve pas est comme un homme qui ne transpire pas, il accumule en lui des réserves de poison."

Quant à Homère, il écrit à propos de rêves : "Les rêves s'insinuent dans le monde à travers deux portes. L'une, la porte d'ivoire par laquelle nous viennent les rêves sans conséquence ; l'autre, la porte de corne par laquelle passent comme la brise les songes fatidiques."

Les symboles

A

ABANDON : celui qui rêve qu'il est abandonné par sa famille bénéficiera d'avantages financiers.

Un désir inassouvi d'aventures et d'évasion du cadre quotidien est présent dans le subconscient du rêveur. Le goût des apparences est supérieur aux forces naturelles qui protestent contre leur refoulement continuel. Cela est dommage car, si le rêveur avait le courage de montrer son vrai visage, de manifester ses désirs cachés, il serait bien plus estimé et apprécié.

Rêver que l'on est abandonné sur une route, dans une église ou sur le seuil de sa propre habitation, est propice si l'abandon est le fait de parents ; il s'agit, au contraire, d'un mauvais présage si l'on est abandonné par des amis ou des personnes chères. Dans le premier cas, le rêve annonce des profits sensibles ; dans le second cas perte d'argent et découragement.

Le rêveur doit être plus compréhensif et pratique ; il doit chercher à voir clair en lui-même et à s'améliorer le plus possible.

Rêver que l'on abandonne sur une route, à la porte d'une église ou dans une lande désolée un chien, un chat ou un petit oiseau, est défavorable ; cela indique que le rêveur aura des ennuis et des discussions avec la personne aimée. Le rêve exprime un désir resté inassouvi dans le passé le plus lointain du rêveur et, par conséquent, il n'a pas de valeur symbolique.

ABATTRE : rêver que l'on abat quelqu'un ou quelque chose d'imprécis, de mal défini, signifie qu'après maints efforts on pourra enfin saisir sa chance.

Le rêveur a une personnalité faible et incertaine. Dominé par les êtres qui l'entourent, il éprouve de la crainte à l'égard des grandes idées et des grands sentiments, même s'il reconnaît leur noblesse, et se contente d'une vie mesquine privée d'initiatives personnelles. Au cours du rêve il veut croire à quelque chose et ce quelque chose est constitué par les vagues aspirations du subconscient qui voudrait abattre son manque d'assurance habituel.

Rêver que l'on abat des arbres chargés de fruits signifie maladie imprévue et guérison très lente.

L'arbre représente en général un ami fidèle et peut aussi symboliser le père.

Dans le premier cas, il s'agit souvent d'un **événement de la** journée passée qui a laissé dans l'esprit du rêveur un regret, une crainte ou un désir insatisfait.

Le second cas reflète le fameux complexe d'Œdipe. Le rêve peut aussi être déterminé par une discussion que le rêveur a eue avec son père et il n'a donc pas de valeur symbolique.

ABBAYE : rêver d'une abbaye à la limite d'un bois fleuri signifie réconfort.

Le rêve révèle la personnalité de l'individu. Celui-ci se sent appelé par une vocation religieuse mais il **hésite, il hésite,** sachant fort bien que pour répondre à cette voix il devrait abandonner sa famille, sa vie confortable, **son bien-être et** sa richesse.

Mais, finalement, le charme du mystérieux appel sera le plus fort, même si les inconnues de la vie monastique et les difficultés qui ne manqueront pas de se présenter font peur au rêveur.

ABBÉ : rêver d'un abbé qui prie dans une grande église plongée dans la pénombre indique que l'on aura des nouvelles d'un parent lointain oublié.

Le rêveur sent la nécessité d'un ami sûr auquel il pourra confier le tourment secret qui hante son existence, et lui procure des insomnies, le rendant intolérant à l'égard de ses amis et de ses parents.

Rêver d'un abbé qui prêche ou qui prie en chaire signale l'existence de quelqu'un qui projette de "mettre des bâtons dans les roues" du rêveur à propos d'un héritage qui lui revient de droit.

Dans son subconscient, le rêveur est assailli par le doute de ne pouvoir découvrir les véritables valeurs de sa vie intérieure ; le rêve n'est pas seulement pour lui une divination, mais peut devenir une anticipation de la réalité.

En rêve, on retrouve assez fréquemment la présence d'un abbé qui bénit le rêveur : cela veut dire qu'une main amie et désintéressée se tendra vers le rêveur et que son avenir sera assuré.

Le rêve est le gond autour duquel tourne toute la vie de la conscience. Le rêveur a négligé sa religion par nonchalance, par commodité, par égoïsme ou même par pure paresse. Il ressent l'absence de sentiment religieux, car il est incapable de progresser et de s'orienter seul dans le monde spirituel.

Rêver d'un abbé qui titube, manifestant ainsi son penchant pour l'alcool, signifie que le sacrifice d'intérêts et de plaisirs devra nécessairement avoir lieu pour pouvoir jouir plus tard des fruits de son renoncement.

La vie du rêveur, en admettant que celle-ci soit considérablement influencée par des problèmes, des désirs, des besoins et des impulsions, est un mélange de nombreux éléments étrangers, enracinés dans son esprit et dictés par les conventions sociales.

Si l'on rêve d'un abbé accompagné d'une religieuse, on devra se souvenir que la chance ne vient jamais seule, mais qu'elle est toujours associée à une autre chance.

Le rêve est bon ; il provient naturellement d'un esprit tranquille et pacifique, pourvu tout de même d'un brin de malice voire de ladrerie.

Rêver d'un abbé portant un habit clair qui prépare quelque potion, signale au rêveur qu'il est urgent qu'il subisse une cure de désintoxication.

Le subconscient, en accusateur incorruptible, perçoit la crainte pour l'intégrité physique du sujet ; il dénonce dans le rêve l'offensive sournoise d'une maladie qui peut être déjà manifeste ou encore à l'état latent.

ABEILLE : rêver que l'on voit voler autour de soi une abeille ou un essaim d'abeilles est un gage certain de gain important et de succès dans les affaires.

Le rêveur se trouve dans une excellente période, idéale pour entamer de nouvelles activités productives ou pour conclure positivement des travaux commencés précédemment, car son activité psychique est particulièrement réceptive et prompte à agir avec assurance.

Celui qui rêve de capturer des abeilles pour les mettre en captivité et obtenir ainsi du miel et de la cire sera victime de troubles et d'agitation ; pourtant, si le rêveur est un militaire, il bénéficiera bientôt d'une permission.

Le sujet est doué d'une intelligence qui lui fait accepter avec enthousiasme les idées nouvelles. Cela le rend plus productif et plus passionné.

La personne qui rêve qu'elle est piquée par une abeille sera trahie par quelqu'un qu'elle considérait comme un ami sincère.

Les abeilles qui piquent représentent nos semblables, ceux auxquels on ne peut s'imposer même s'ils sont d'une intelligence inférieure. C'est le rêve caractéristique de l'enfance et surtout des enfants timides qui voient dans l'abeille le camarade, l'ami autoritaire et envahissant qui s'approprie leurs biens.

ABÎME : rêver que l'on tombe dans un abîme annonce un grave danger, un piège et même, plus rarement, la folie.

Généralement l'abîme représente la personnalité même du rêveur. Le fait d'y tomber signifie que l'on est obligé de fouiller dans son subconscient, d'en sonder les recoins les plus secrets et les moins plaisants pour ne pas se mentir à soi-même et pour chercher à corriger les erreurs et les manquements que l'on tenait si scrupuleusement cachés.

Rêver que l'on tombe dans un abîme, mais que le fond est recouvert de paille ou de feuilles séchées, est un avertissement concernant un désastre financier imminent, que l'on évitera in extremis grâce à un héritage ou à une bonne opération.

Le désir de surmonter ses propres difficultés se manifeste chez le rêveur. Mais il s'agit, en général, de velléités car la vision est symbole de superficialité, de tendance à ne pas approfondir les problèmes et à chercher la voie la plus expéditive pour les résoudre, y compris avec l'aide d'autrui.

ABONDANCE : rêver d'une grande abondance dans sa propre maison signifie fausse sécurité et constitue un présage de misère et de restrictions. C'est le rêve classique des gens qui se trouvent au bord de la ruine financière et qui, par conséquent, manquent de réalisme et de jugement.

Rêver d'une abondance de denrées comestibles est synonyme de gain et de bien-être. Lorsque le rêve n'est pas déterminé par des causes physiques (aussi bien la faim qu'une indigestion "mémorable") il reflète des désirs inassouvis de toute sorte et est l'indice d'une mauvaise adaptation du rêveur à ses conditions de vie actuelles.

ABOYER : entendre, en rêve, un chien qui aboie indique un danger menaçant qui doit être évité avec l'aide d'amis fidèles. Chez le rêveur, le désir d'amitié est si pressant qu'il se manifeste au niveau inconscient. Il s'agit d'une force saine et naturelle qui s'harmonise avec sa vie consciente.

Si dans le rêve le chien hurle à la mort, faisant alterner hurlements et aboiements, on devra se méfier de l'amitié offerte avec trop de légèreté. Ce rêve constitue sans l'ombre d'un doute une mise en garde pour le rêveur.

Ce rêve provient souvent d'un événement de la journée passée qui a laissé un doute, une crainte ou un désir.

Si, de but en blanc, un autre chien, qui lui fait fête, apparaît au rêveur, celui-ci devra s'attendre à des contrariétés et à des manœuvres d'autrui à ses dépens. L'importance de l'événement annoncé dans le rêve est en concordance avec une impression reçue durant la journée.

La personne qui, en rêve, verra un chien revenir d'une partie de chasse avec un important gibier, sera certainement contrée au début de ses entreprises professionnelles, lesquelles, par la suite, se développeront de manière sûre et prometteuse. Ce rêve, typiquement masculin (très rare chez les femmes), n'est pas seulement une divination mais constitue bien une anticipation de la réalité car il reflète un désir fréquemment exprimé et jamais satisfait.

Si l'on rêve d'un chien enragé qui aboie de manière convulsive et qui, ensuite, mord le rêveur, il s'agit d'un signe d'adversité et d'outrages.

La personnalité du rêveur donne des signes de profond déséquilibre : les périodes de grande excitation sont suivies par de graves états dépressifs. Le rêve annonce une dépression psychique imminente.

ABRICOT : rêver que l'on mange des abricots est synonyme de santé et de plaisir momentané.
Il s'agit souvent d'un événement de la journée qui a laissé dans l'esprit du rêveur un désir insatisfait. Le rêve, donc, n'a pas de valeur symbolique.

ACCOUCHEMENT : rêver que l'on accouche signifie bonheur et prospérité.
Si le sujet rêvant est une femme, c'est le manque de sens maternel qui affleure dans le subconscient, peut-être à cause d'une absence d'enfants, ou d'une incompréhension à leur égard, ou encore à cause de difficultés dans les rapports familiaux. Si le rêve est fait par un homme, il s'agit, la plupart du temps, de la création d'une nouvelle œuvre, de la réalisation d'un nouveau travail qui lui tient particulièrement à cœur et qui portera ses fruits.

ACCUSER : rêver que l'on est accusé par quelqu'un est toujours un signe de mauvaises nouvelles.
Ceux qui rêvent qu'ils sont accusés, peu importe que ce soit par un homme ou par une femme, révèlent généralement leur crainte et leur impatience devant le fait de ne pas réussir à réaliser, en peu de temps et sans autre conséquence, ce qu'ils voudraient.

ADMONESTATION : rêver que l'on subit les réprimandes de quelqu'un de mal défini, dont on entend seulement la voix, signifie qu'une personne oubliée reviendra en mémoire et que l'on profitera d'aides inespérées.

Le rêveur fait partie des personnes qui ne voudraient vivre que de purs sentiments. Ses rêves, qui lui viennent du cœur, lui donnent de bons conseils.

ADOLESCENT : rêver que l'on redevient adolescent est, en général, un rêve très favorable. Il indique le succès dans la vie affective.

Si le rêve se renouvelle fréquemment, il signifie que le rêveur est peu sûr de lui et qu'il désire un retour à la période heureuse de sa jeunesse pour y trouver le réconfort. Son enfance était probablement une oasis de paix et de bonheur. Si l'on rêve d'un adolescent habillé de blanc, on aura un avantage dans le domaine du travail avec des bénéfices d'ordre économique considérables. Cela sera dû exclusivement au mérite et à la loyauté du rêveur.

Le rêve exprime une aspiration enracinée dans le passé lointain du rêveur. On en conclut que la vie de l'individu est considérablement influencée par divers éléments : problèmes, désirs, besoins et impulsions gravés profondément dans son esprit et dictés par les conventions sociales.

Rêver que l'on embrasse et que l'on serre dans ses bras un adolescent signifie qu'on atteint la vieillesse en conservant la fraîcheur et l'enthousiasme de son jeune âge.

Ce rêve est typiquement féminin. Il révèle le désir inconscient qu'a la femme de se marier, de fonder un foyer ou, si la vision dégage une atmosphère d'embarras et d'angoisse, la crainte d'une maternité non désirée.

ADULATION (v. FLATTERIE)

ADULTÈRE : l'individu qui rêve de commettre un adultère avec des personnes connues aura le déplaisir de voir les membres de son entourage victimes d'accidents graves.

Le rêveur sent en lui, dans la vie réelle, un désir de changement sur le plan affectif car il est insatisfait. Il est exaspéré et ses réactions peuvent se révéler imprévisibles.

Si, au contraire, l'adultère est commis avec des personnes inconnues, il faut surveiller le comportement de son meilleur ami. De graves ennuis peuvent brusquement survenir.

Le rêveur n'est pas du tout content de lui et de la vie qu'il mène. Il est tourmenté par des désirs, des peurs et des conflits inconscients.

AFFAIRES FINANCIÈRES : rêver que l'on expédie avec succès des affaires financières est un présage de naissances dans le milieu familial.

Le rêve exprime une aspiration fondée sur l'auto-conservation qui, dans la société actuelle, repose presque exclusivement sur des facteurs économiques, lesquels constituent l'un des ressorts les plus importants de l'activité humaine.

Rêver que d'autres personnes expédient avec succès des affaires financières signifie que le rêveur ne verra pas sa famille augmenter, mais que ce sera le cas pour celle de ses amis ou de ses parents éloignés.

La vie du sujet, bien que moderne, est assez simple et ne subit pas le tourment de certains complexes.

Celui qui rêve d'affaires de famille ruineuses peut être certain que la richesse et le bien-être ne tarderont pas à frapper à sa porte.

Ce qui, aujourd'hui, semble tout à fait incompréhensible au rêveur, aura demain une signification claire et pratique.

AGATE : rêver que l'on possède une agate indique que l'on a des affaires d'argent en suspens. Selon Artémidore, la personne qui porte une agate n'est pas avantagée ; le bénéfice va à la personne que l'on voit, en rêve, porter cette pierre précieuse.

Si un pauvre rêve qu'il porte une agate, surtout montée en

bague, il ne s'agit pas pour lui d'un bon présage ; en effet, il n'est pas logique qu'il possède une richesse aussi importante et l'on s'accorde à penser qu'il ne saurait pas tirer partie d'une fortune si soudaine.

Le rêveur est, malheureusement, en train d'apprendre à ses dépens, que la vie exige parfois quelques sacrifices. Il se trouve probablement sur le point de faire un grave choix et doit s'imposer certains renoncements.

AGNEAU : rêver qu'on a un agneau entre les bras et qu'on le caresse indique que l'on se trouve dans une période d'activité intense avec possibilité d'amélioration d'ordre économique.

Le rêveur, riche d'enthousiasme, se sent renouvelé intérieurement. Il doit pourtant veiller à ne pas nourrir d'illusions excessives à propos de ce regain d'énergie. De là peuvent naître les moyens qui permettront de donner une poussée positive à sa vie. Cependant, s'il n'est pas en mesure de profiter de cette énergie nouvelle, il se trouvera bien vite épuisé et déçu.

Celui qui rêve de voir des agneaux qui sautent et broutent dans un pré obtiendra de grandes satisfactions de ses enfants. Le rêveur traverse une période de grand équilibre. Il est, par conséquent, dans un moment particulièrement favorable pour accueillir, comprendre et élaborer de nobles pensées, ainsi que pour jouir des moindres plaisirs que lui réservent ses journées.

AGONIE : le fait de rêver que l'on est à l'agonie ou que d'autres personnes, connues ou inconnues, agonisent, n'a aucune signification prémonitoire de malheur ou de mort. Le rêve indique simplement qu'une affaire judiciaire depuis longtemps en suspens sera finalement menée à bien.

Rêver de sa propre agonie, et en souffrir en même temps,

révèle que le sujet perçoit en lui l'augmentation des instincts qui l'éloignent du monde insouciant de la jeunesse ; cela lui procure un sentiment d'angoisse et de peur.

Si le rêveur voit d'autres personnes à l'agonie (amis, parents et même inconnus) la signification rejoint la première : une affaire judiciaire en cours se résoudra avec succès.

Dans ce cas, le rêve constitue un avertissement, afin que le sujet cherche à obtenir pour lui-même de nouveaux secours en cultivant des rapports d'amitié.

AGRICULTEUR : rêver d'un agriculteur qui travaille la terre indique la possibilité de trouver un travail tout à fait rentable.

Le rêveur accorde trop de valeur à la culture, au monde rationnel et intellectuel. Il ne doit absolument pas négliger ses instincts naturels, ni les sentiments les plus simples qui représentent pour lui un refuge dans les inévitables tempêtes de l'existence.

AIDE : la personne qui rêve qu'elle demande de l'aide à quelqu'un aura la fortune à portée de la main.

Le rêveur traverse une période de crise sentimentale. Il est opportun pour lui de demander de l'aide à des parents proches ou à des amis sûrs, car eux seuls peuvent l'aider à surmonter ce moment difficile. Il faudra aussi qu'il oriente sa vie de manière plus rationnelle et consciente.

AÏEUX : les morts qui peuplent nos rêves ne sauraient nous tromper ou nous mentir car ils n'attendent plus rien de nous. Par conséquent, les aïeux, vus en rêve, sont dignes d'être crus. Ils sont présages de plaisir et de prospérité.

Dans tous les cas ce rêve indique que le sujet manque d'assurance et désire être aidé et protégé comme un enfant qui a besoin d'être consolé.

AIGLE : rêver que l'on voit un aigle en plein vol est un présage de victoire et un signe de force car l'aigle représente l'activité intellectuelle la plus noble et la plus élevée. Le rêveur a des possibilités créatrices considérables dans le domaine intellectuel et culturel. Il se trouve dans une période particulièrement favorable à la création du plus haut niveau.

Rêver d'un groupe d'aigles signifie que l'on bénéficiera d'une augmentation imprévue de son patrimoine matériel et affectif grâce à un riche mariage.

L'activité intellectuelle du rêveur l'absorbe presque totalement, au point de l'empêcher de s'occuper des petites choses qui l'entourent et même de jouir des joies et des satisfactions dont sa vie n'est pourtant pas avare.

Voir en rêve un aigle qui fonce sur sa proie et la déchire, est un signe de malheur. Un ennemi puissant menace le rêveur et est sur le point de détruire tout ce qui est pour lui harmonie et richesse. L'astuce et la force seront nécessaires pour lui échapper.

Le rêveur est sans cesse assoiffé de savoir ; il désire connaître des théories abstraites et inutiles parce que trop éloignées de la vie quotidienne.

Rêver d'un nid d'aigle, où se trouvent des aiglons, signifie que le rêveur doit mesurer ses possibilités avant de s'aventurer dans des entreprises risquées.

Le rêveur a de grandes possibilités car il est doué d'une intelligence très ouverte ; c'est un théoricien, un poète, un artiste, mais il a une fâcheuse tendance à s'isoler de la réalité pour vivre dans un monde idéal de sérénité. Si cet état d'esprit est permanent il dénote une réaction de fuite devant le réel.

AIGUILLES : rêver d'aiguilles qui piquent annonce une dégradation de la situation du sujet, un procès et des ennuis.

Un tort minime ou une humiliation insignifiante engendrent le tourment du rêveur et, par conséquent, sa peur et sa honte des actions peu orthodoxes. La situation est représentée dans le rêve par des piqûres d'aiguilles plus ou moins douloureuses et plus ou moins intenses.

AIGUILLON : rêver que l'on est piqué par un aiguillon signifie peine, contrariété et angoisse. Rêver que l'on taquine les autres avec un aiguillon est synonyme de haine, de rancune et de petite vengeance.

L'aiguillon révèle chez le rêveur de petits déplaisirs et des soucis à propos de certaines décisions qu'il doit prendre et qui peuvent influencer toute son existence.

AIL : la personne qui rêve qu'elle mange de l'ail affrontera de fortes controverses et se querellera inévitablement avec des gens qu'elle connaît.

Le rêveur a laissé la sphère simple et naturelle de sa vie intérieure envahir toutes ses activités et, par conséquent, incapable de mentir, il affronte la réalité avec méfiance.

Ceux qui rêvent de cueillir ou d'acheter de l'ail auront des discussions avec des parents pour des questions d'héritage. Le rêveur est oppressé par le conflit qui se fait jour entre ses désirs et ses principes moraux.

AILE : rêver que l'on a des ailes et que l'on vole est synonyme de prospérité en affaires.

Le rêveur est pourvu d'un esprit combatif assez développé. Il est suffisamment intelligent pour affronter l'adversité et les obstacles de façon active et décidée.

Rêver d'avoir des ailes et de planer n'est un rêve propice que pour les navigateurs. Ils auront des voyages sûrs et sans contrariétés. Pour les autres c'est le présage d'ennuis momentanés d'ordre économique.

Le rêveur est obsédé par une pensée qui le trouble inutilement et excessivement. Il doit considérer les faits avec plus de sérénité et d'objectivité pour comprendre que, dans la plupart des cas, il a accordé aux événements plus de poids qu'ils n'en avaient.

Voler avec de petites ailes et la tête tournée vers le bas est un rêve redoutable. Il indique que, à cause de certains malentendus, la situation professionnelle et financière du rêveur est compromise.

Le rêveur disperse son énergie dans de nombreuses petites activités de peu d'importance et de faible rendement. Il devrait viser des buts plus élevés pour construire des choses plus solides et plus concrètes.

Rêver que l'on vole au moyen d'ailes mécaniques annonce une longue maladie ; le même rêve est toutefois favorable pour les personnes qui sont sur le point d'entreprendre un voyage en famille.

AIR : rêver que l'on respire de l'air pur signifie que l'on verra bientôt ses désirs assouvis.

Une nouvelle énergie spirituelle, et même de caractère religieux, est en train de se former chez le rêveur. Celle-ci est si forte qu'elle influencera de façon positive toute son existence et changera complètement sa mentalité.

Rêver que l'on respire un air trouble et obscur est un mauvais présage : perte au jeu et spéculation erronée.

Le rêveur traverse en ce moment une période d'indifférence et d'apathie. Rien ne l'intéresse vraiment et il traîne le jour durant sans but et sans enthousiasme.

AIRE : voir en rêve une grande aire abondamment recouverte de blé indique que l'on aura de nombreuses satisfactions, tant dans le domaine affectif qu'en ce qui concerne le travail. Le rêveur est riche et généreux. Il récolte maintenant le fruit de son activité productrice. Evidemment, ses bénéfices sont aussi d'ordre moral.

Voir en rêve une aire en feu est synonyme d'affections qui s'éloignent.

Le rêveur est cultivé, il a une bonne éducation et une forte personnalité. Ce rêve doit l'inciter à faire participer les autres à ses progrès faciles, en les entraînant grâce à son éloquence. Cela implique de lourdes responsabilités qui, s'il n'y prend pas suffisamment garde, pourront le transformer en individu stupide et présomptueux, gonflé seulement de vanité et désireux de s'imposer à n'importe quel prix.

ALLAITER : d'une manière générale, il s'agit d'un rêve favorable. Rêver que l'on est dans les langes comme un nourrisson et que l'on tète le lait d'une femme inconnue ou de sa propre mère, annonce le mariage aux célibataires des deux sexes ; la paternité ou la maternité aux personnes sans enfants ; beaucoup de richesses à tous ceux qui vivent de leur travail.

Le rêveur sent naître en lui le désir de nouvelles énergies, nécessaires pour nourrir sa vie psychique. Il est peu sûr de lui et éprouve le besoin d'être protégé et aidé. Il a négligé certains aspects importants de sa vie, en en cultivant certains autres de peu d'importance, aux dépens de sa personnalité.

Téter le lait de sa mère est, pour une femme qui se trouve sur le point d'accoucher, le signe qu'elle mettra au monde une petite fille.

La rêveuse doit chercher à faire profiter son entourage des sentiments d'amour et de dévouement que son instinct maternel lui fournit ; dans le cas contraire, elle risque de se sentir malheureuse.

Si une femme d'un âge déjà avancé rêve qu'elle allaite, c'est le signe d'une prochaine richesse dans le cas où elle est pauvre ; si elle est riche, c'est un présage de misère pour elle et son mari, par gaspillage de leurs biens.

La rêveuse, si le rêve ne correspond pas à la réalité, éprouve un complexe de frustration de son sentiment maternel, soit parce qu'elle n'a pas d'enfants, soit parce qu'elle se heurte à l'incompréhension et à des difficultés familiales.

ALLIANCE (v. BAGUE)

ALLUMETTE : rêver que l'on voit des allumettes allumées est synonyme de dignité et de fortune.

Le rêveur est un irrationnel qui a tendance à se jeter la tête la première dans des entreprises dangereuses, au risque de sa vie même.

Rêver que l'on allume des allumettes est un signe de fortune aussitôt dissipée.

Même lorsque la flamme de l'allumette est très petite, elle reflète chez le rêveur un immense désir de tendresse et de chaleur humaine. Il veut se faire remarquer à tout prix, être le premier en toute occasion et faire montre de capacités élevées pour susciter l'admiration, même momentanée.

ALOUETTE : rêver d'une alouette qui chante est un signe de bonnes nouvelles et de succès assuré.

Ce rêve représente l'état actuel du monde intérieur du rêveur. Ce dernier traverse une période intellectuellement favorable, car des idées nouvelles et intéressantes naissent en lui ; elles le conduiront au succès.

Rêver que l'on capture une alouette et qu'on la met en cage n'est pas un rêve propice. Il signifie qu'un lien affectif jusqu'alors très solide est sur le point de se rompre et qu'il ne pourra jamais se renouer.

Toute idée nouvelle épouvante le sujet qui a peur des conséquences d'un mauvais choix. Dans ce cas, il se vide de son élan et perd une bonne partie des richesses que la vie lui offre généreusement.

AMANT (ET MAÎTRESSE) : lorsqu'une femme rêve qu'elle a des rapports sexuels avec son propre amant, le rêve dénote en elle un comportement hostile à l'égard de sa famille.

Les instincts sexuels de la rêveuse sont particulièrement actifs à cause d'une insatisfaction et d'une frustration. Elle cherche, à tort, à faire taire en elle les forces les plus simples et les plus naturelles comme s'il s'agissait de faiblesse ou de penchants négatifs. Le rêve la met en garde contre tout ce qu'elle accepte avec une trop grande résignation.

Si un homme rêve qu'il a une maîtresse, c'est le signe d'une amélioration de sa vie affective.

Il y a chez le rêveur le désir de s'évader de la vie familiale, de ses devoirs de chef de famille. Quelquefois il est injustement déçu et insatisfait par sa vie affective qu'il juge aride et encombrée de situations déplaisantes, de désirs réprimés.

AMBASSADEUR OU AMBASSADRICE : ceux qui rêvent d'un ambassadeur ou d'une ambassadrice auront de mauvaises nouvelles et se méfieront des personnes chargées de s'occuper de leurs affaires.

Les rêveurs sont des êtres indécis qui ont toujours besoin d'un conseil ou d'une stimulation extérieure pour effectuer et mener à bien leur travail.

AMBULANCE : rêve néfaste. Perte imminente d'une personne chère.

Le rêveur, malgré un caractère cordial et compréhensif, est un individualiste. Il a tendance à juger l'œuvre des autres et à agir en demeurant hors de la mêlée, comme un simple spectateur.

AMI : bien souvent le rêve représente la fidélité. Si pour le rêveur le comportement de l'ami est positif, le rêve indique qu'il a besoin de fidélité et d'amour pour avoir confiance dans la vie. Si le comportement de l'ami est négatif, le rêve annonce une discussion du rêveur avec ses enfants ou ses parents.

C'est le rêve habituel de ceux qui vivent plus de souvenirs que d'espérance. Ils sont d'un caractère timide et cherchent appui et sécurité auprès des personnes sûres. Ils ne seront jamais en mesure d'affronter l'avenir seuls, avec courage et fermeté.

Rêver d'un ami que l'on avait oublié depuis longtemps signifie que le rêveur connaîtra momentanément des difficultés financières.

Le rêveur, en réalité, doute de la loyauté de ses amis. Chez lui, c'est tantôt la raison, tantôt le sentiment, tantôt le simple instinct qui domine, avec de désastreuses manifestations d'incohérence par manque d'une ligne de conduite ferme.

AMIRAL : rêver que l'on parle avec un amiral en grand uniforme est synonyme de surprise agréable dans le milieu familial.

Le rêveur est instinctivement un individualiste qui ne peut comprendre la valeur de la vie communautaire. C'est pourquoi il ne se rend pas compte qu'il a un devoir social à accomplir ; il n'a pas le sens des responsabilités et laisse aux autres le soin de résoudre ses propres problèmes.

AMPUTATION : rêver qu'on est amputé d'une partie du corps signifie que l'on sera libéré d'amis médisants et calomnieux. Le rêveur a surestimé certaines de ses facultés aux dépens d'autres qui, restant inutilisées, se sont atrophiées. Cela provoque en lui un fort déséquilibre psychique, qui peut être dangereux. Les parties amputées indiquent les facultés qui sont restées infantiles par rapport aux autres. Le rêve est très significatif !

Rêver que l'on a une main ou un bras amputé veut dire qu'on devra procéder avec sagesse à propos de décisions qu'il faudra inévitablement prendre.

Celui qui fait un rêve de ce type est riche de forces actives et d'énergie productive qu'il sous-estime.

Rêver que l'on a un pied amputé, ou les deux, signifie que l'on devra attendre longtemps avant de résoudre une question financière d'un grand intérêt.

En réalité, le rêveur est un nostalgique du passé, un introverti qui vit de souvenirs ; il ne se préoccupe pas des bénéfices que son énergie pourrait lui rapporter mais cherche à les réprimer.

Rêver que l'on est décapité est un bon présage pour les ambitieux insatisfaits, pour les pauvres, les usuriers, les banquiers et les soldats. Mais pour les hommes arrivés, juges ou gouvernants, ce rêve annonce de graves ennuis ; pour les chefs militaires il est le présage d'entreprises difficiles.

Le rêveur est indubitablement porté à la réflexion ; toutefois, ce rêve révèle en lui un grand sens pratique ainsi qu'une capacité d'action considérable.

ANCHOIS : la personne qui rêve qu'elle pêche des anchois aura une surprise agréable ; l'importance de celle-ci dépend de la taille et du nombre d'anchois pêchés.

Ce rêve est caractéristique de ceux qui possèdent de grandes valeurs morales qu'ils tiennent inconsciemment cachées. La découverte de ces valeurs, passionnante pour le rêveur, donnera à sa vie pratique plus d'énergie et un plus grand enthousiasme. Il en découlera de gros avantages matériels.

Rêver que l'on pêche des anchois puis qu'on les rejette à

l'eau, est un présage de richesse, mais aussi de disputes familiales. Le rêveur devra se montrer patient et attendre un moment de plus grande sérénité intérieure.

Rêver que l'on rapporte dans un baril de gros anchois salés, signifie que l'on aura la consolation de mourir riche, honoré, estimé par sa famille et ses amis.

Le rêveur n'est pas du tout satisfait de lui-même. Il n'est pas dépourvu de désirs secrets, de peurs et de conflits inconscients.

ÂNE : mauvais présage. Le rêve est un signe de tromperie, de douleur et de malheur.

L'apparition de cet animal est pour le rêveur le signe que sa conscience et son inconscient lui sont soumis et lui permettent de jouir d'une période de pause, d'indifférence et de relâchement. Tout est pour lui sans intérêt et il laisse ainsi passer des occasions où il aurait pu manifester de façon complète sa personnalité.

ANGE : rêver que l'on voit, à ses propres côtés, un ange signifie que l'on aura protection, fortune et accroissement de sa dignité.

Inconsciemment, le rêveur désire avoir près de lui une personne douée d'une force morale importante qui pourrait influencer sa vie intérieure de manière déterminante ; en fait, il se sent incapable d'avancer et de s'orienter tout seul. Rêver d'un ange situé à la porte d'une église avertit le rêveur qu'il risque de périr de mort violente.

La présence d'un être surnaturel qui empêche l'entrée dans l'église indique quelque chose d'erroné dans le sens religieux du rêveur. C'est le rêve caractéristique de ceux qui attribuent à la Divinité leurs idées mesquines et qui se servent de la religion par opportunisme pour en tirer des avantages matériels et personnels.

ANIMAL : rêver d'animaux ayant un aspect menaçant, quelle que soit leur espèce, signifie discordes avec des amis. Par ce rêve le sujet révèle la crainte que son comportement, ou la réalisation de l'un de ses désirs instinctifs, puisse rencontrer la désapprobation ou le jugement négatif de ses semblables.

Rêver d'un animal domestique qui appartient au rêveur n'a pas de valeur symbolique ; mais si l'animal domestique est inconnu et se rebelle, le rêve annonce la visite inattendue de lointains parents.

Le rêveur a réussi à réprimer toute impulsion non contrôlée ; à l'avenir, cela le privera de nombreuses possibilités car, en neutralisant ses instincts, il risque de compromettre son équilibre psychique.

Rêver d'animaux féroces signifie que l'on est entouré d'ennemis ; il est donc préférable de rêver que l'on terrasse ces animaux plutôt que le contraire.

Le rêveur est un être impulsif qui, par conséquent, laisse ses instincts complètement libres, méprisant tout équilibre moral et empêchant toute tentative de contrôle de la part de la raison. La peur de ses ennemis est enracinée au fond de lui. Ceux-ci souhaitent, à juste titre, sa disparition.

Rêver d'un animal étrange, que l'on n'a encore jamais vu, est un présage de malheur.

L'apparition, en rêve, d'animaux monstrueux et difformes indique l'évanouissement de vaines espérances, de désirs irréalisables et d'entreprises insensées. De telles apparitions tendent à démontrer que le rêveur abrite des forces particulièrement puissantes et souvent même agressives qui échappent à tout contrôle de la conscience et en menacent l'intégrité. Cela pourrait bouleverser sa vie psychique, en produisant des troubles qui risqueraient de mener à de sérieux déséquilibres.

Rêver que l'on a chez soi des animaux et leurs petits,

quelle que soit leur espèce, signifie que l'on est en danger de mort, à cause d'une catastrophe imprévisible.

Le rêveur est étranger à la vie de tous les jours. Il n'est pas capable de jouir des petites joies quotidiennes et des sentiments les plus intimes. Ce monde de sérénité est perdu pour lui ; il ne lui reste qu'une soif insatiable de théories abstraites détachées de l'existence.

APPARITION : selon Artémidore, les personnes dont l'apparition en rêve est de bon augure sont les divinités car, lorsqu'elles s'adressent aux mortels, elles ne sont pas en mesure de mentir. Cela vaut aussi pour les personnes consacrées comme les prêtres ou les religieux, qui représentent la divinité sur terre. On peut aussi prêter foi aux apparitions d'enfants, de vieillards et d'animaux qui adressent la parole au rêveur car, tandis que les vieillards possèdent la sagesse, les enfants et les animaux possèdent l'innocence. L'interprétation du rêve respecte donc fidèlement la réalité.

Voir apparaître en rêve des personnes mortes ou des divinités signifie que l'être rêvé a profondément influencé la vie du rêveur. Aujourd'hui, pourtant, le rêveur a échappé à cette influence et il se sent d'une certaine manière désorienté par cette absence de guide et d'appui. De là, son désir de retrouver leur présence à ses côtés.

ARAIGNÉE : rêver que l'on voit une araignée de proportions gigantesques sur les murs de sa propre maison signifie que l'on aura bientôt une querelle et un procès.

Un trouble qui échappe à tout contrôle de la raison et de la volonté est en train de se manifester dans le subconscient du rêveur. Ses dépenses d'énergie ne peuvent plus être équilibrées de façon positive. Il appartient donc exclusivement au sujet de savoir se maîtriser et fuir les passions qui vont le renverser.

Rêver que l'on tue une araignée signifie victoire et gain. En tuant l'araignée, le rêveur voudrait tuer ses propres instincts négatifs pour avoir une plus grande assurance et un meilleur équilibre.

Rêver que l'on est recouvert par des toiles grouillantes d'araignées est synonyme de grandes richesses qui seront acquises grâce à une chance inespérée. La personnalité du rêveur est étouffée par la timidité, par un manque de sens des réalités et par la perplexité. La femme qui fait ce rêve doit prendre garde : elle est esclave de ses instincts, dépourvue d'inhibitions et portée à accaparer tout ce qui lui convient sans scrupules excessifs.

ARBRE : en général, le rêve est favorable. Rêver d'arbres est un bon signe. Les forces ancestrales (culture, tradition, éducation) sont profondément enracinées dans l'esprit du rêveur et contribuent efficacement à sa personnalité, en accroissant continuellement son degré de maturité.

Rêver que l'on voit des arbres qui bourgeonnent est le signe d'un bonheur qui augmentera progressivement.

Un certain infantilisme a empêché le rêveur de découvrir le monde qui l'entoure ; peut-être s'agit-il d'une attitude volontaire. Cependant, il commence maintenant un important travail de recherche qui ne doit pas être superficiel mais profond et sans à-coups, selon les lois de la nature humaine.

Rêver que l'on voit des arbres verts en plein été signifie que l'on cueillera sous peu les fruits de son propre travail. Le sujet rêvant traverse une période de fatigue et d'incertitude psychique qui se manifeste tantôt par une angoisse injustifiée, tantôt par des crises d'indolence. Cette période doit nécessairement se terminer car l'énergie nouvelle, la sérénité et le sentiment de confiance et d'optimisme qui en découlent donneront d'excellents résultats, et pas seulement dans le domaine du psychisme.

Rêver que l'on grimpe à un arbre et que l'on atteint péniblement son faîte indique que les difficultés purement matérielles seront surmontées après maintes contrariétés (affaires, richesses).

Le rêveur est doué d'un tempérament actif et exubérant ; il travaille avec un grand enthousiasme et sans épargner ses forces. Il se trouve actuellement dans un moment de grande fatigue. Il a besoin de "recharger ses accus" pour retrouver assurance et équilibre.

Rêver que l'on abat des arbres, qu'ils soient en bourgeons, couverts de fruits ou même secs, signifie que l'on perdra prochainement une personne chère faisant éventuellement partie de la cellule familiale.

Le rêveur s'est laissé dominer par ses impulsions subconscientes, oubliant trop facilement cette force essentielle qu'est la raison, ressort essentiel de l'existence humaine.

Rêver que l'on est assis sous un arbre pour se reposer après une activité fatigante signifie que l'on recevra de bonnes nouvelles après une longue attente.

La vie du rêveur, bien que compliquée par le monde moderne, reste fort simple ; dans le rêve affleurent des aspirations provenant du fin fond de son enfance.

ARCADES : rêver que l'on marche sous des arcades signifie que l'on est sur le point de faire fortune.

Le rêveur a progressé et a su dominer ses instincts et ses passions ; ce progrès, si minime soit-il, lui sera d'une grande utilité pour orienter les désirs qui s'agitent en lui.

ARC-EN-CIEL : voir en rêve un arc-en-ciel signifie que l'on devra affronter un long voyage imposant un changement d'habitation ; conséquence : gains et tranquillité.

Le rêveur est très équilibré et doué de bon sens. Il donne nettement la priorité au monde spirituel et sait donner leur juste place aux divers aspects de sa personnalité, de façon à n'en négliger aucun, pas même les plus banals, et organise une hiérarchie exacte des valeurs.

ARGENT (MÉTAL ET MONNAIE) : toute personne rêvant d'argent, sous forme de monnaie ou d'objets, aura des soucis financiers.

Le rêveur possède une très grande richesse affective qui ne demande qu'à être révélée. Tout en lui aspire à l'amour et le réclame. Mais son tempérament réservé l'empêche de se manifester. Il doit, avant tout, veiller à ne pas laisser passer ce moment, qui est propice, en s'enfermant dans un cocon sans issue. Les impulsions que nous venons de mentionner pourraient s'éteindre ou se développer dans une mauvaise direction.

Rêver que l'on trouve de l'argent, peu importe l'endroit, signifie que l'on doit être prudent en affaires.

Jusqu'ici, le rêveur a regardé ce qui l'entourait d'un œil sec, sans amour, indifférent ; mais, grâce à un nouveau sentiment qui se forme en lui, il va changer d'optique et se rendre compte que le monde, autour de lui, tout en lui paraissant hostile, peut aussi lui ménager des joies et du bonheur.

Celui qui rêve qu'il possède beaucoup d'argent aura des pertes financières considérables.

Le rêveur a de grandes capacités, mais il ne sait pas s'en servir, car il est tourmenté par son indécision et son indifférence envers le monde et les sentiments qui l'entourent. Lorsqu'il réussira à sortir de son immobilisme et à se transformer en homme actif il s'apercevra que la vie doit être affrontée avec joie et espoir et non pas supportée passivement.

Rêver que l'on gagne beaucoup d'argent est un présage d'ennuis inattendus mais faciles à résoudre.

La valeur que l'homme attribue à l'argent le fait devenir le symbole de la préciosité, de la richesse à qui rien ne se refuse. L'appât du gain facile et abondant est caractéristique de ceux qui espèrent en lui pour résoudre une situation financière et, ici, aucune explication n'est nécessaire. D'autres fois, le rêve reflète le désir de l'avare qui transforme toute chose, y compris les sentiments, en espèces sonnantes et trébuchantes.

Rêver que l'on perd de l'argent est un signe de désagréments. Le rêveur apprend à ses dépens ce que la vie exige, pour être agréable et satisfaisante. Le rêve, accompagné souvent de sensations d'angoisse, trahit la peur de perdre quelque chose, ou une affection conquise à grand-peine et à laquelle le rêveur tient de façon particulière.

ARLEQUIN : rêver d'un homme habillé en arlequin veut dire que l'on sera rapidement opposé à ses amis.
Le rêveur a le goût de l'inconnu. Son inconscient est trop riche en contrastes qui devraient être réglés par la raison ; de fait, il se révèle souvent inconstant et incohérent.

ARME : si une personne rêve qu'elle possède des armes, qu'elle voit des armes ou qu'elle se sert d'armes, elle sera victime de complots en famille ou de la part d'amis chers. Le rêveur est arrivé à un tournant important de sa vie psychique, car la décision qu'il doit prendre pourra influencer tout son avenir sentimental.
Celui qui rêve qu'il est pourvu d'une arme blanche (couteau, poignard, épée, etc.) sera momentanément tourmenté par des doutes et des incertitudes.
C'est la conséquence logique de l'état de dépression psychique du rêveur, engendrée par une situation qui s'est développée en dehors de lui et dont il ne peut que prendre acte. Il sera donc contraint de décider rapidement.

Rêver que l'on se sert d'une arme à feu, et que l'on se blesse, signifie qu'on aura des ennuis et des discordes en famille.

Les douloureux sacrifices auxquels est acculé le rêveur influent considérablement sur son rêve. Il ne sait pas réagir comme il le voudrait, car il est, par nature, indécis. Il est donc normal que, dans ses rêves, il tente de récupérer sa liberté de jugement et d'action.

Rêver d'armes de jet (arc, hallebarde) signifie que l'on aura une querelle et un procès.

La personne qui fait un tel rêve devrait réfléchir sérieusement sur ses tendances, manifestes ou cachées. Le rêve n'a cependant pas de signification particulière si ces armes se situent dans les scènes d'action, car le rêveur nourrit une passion secrète pour la vie militaire et les aventures mouvementées. C'est un enfant qui ne manque jamais un film de cape et d'épée.

ARMÉE : rêver d'une armée signifie que l'on recevra honneurs et distinctions. Le rêveur est un grand individualiste et ne comprend pas la valeur de la vie communautaire. Sa mentalité l'empêche de se rendre compte qu'il a un devoir social précis à accomplir. Son manque total de sens des responsabilités le rend hostile à ses semblables.

Si le souvenir d'une bataille réellement vécue est encore vif dans la mémoire du rêveur, son état psychologique correspond exactement à celui qui était le sien à ce douloureux moment : peur et fatalisme. Si le rêveur ne s'est jamais vraiment trouvé dans une telle situation, le rêve signifie que les forces de la conscience livrent combat aux passions et aux instincts qui sont, en cette période, particulièrement agressifs.

ARMOIRE : il s'agit, en général, d'un rêve plutôt féminin.

Rêver d'une armoire bien garnie annonce un héritage prochain.

La femme qui rêve qu'elle possède une armoire remplie de linge ou de vêtements éprouve un vague sentiment de trouble. Elle ne doit ni s'en inquiéter ni s'en étonner, il s'agit seulement du réveil naturel d'impulsions affectives et d'instincts typiquement féminins.

Si, par hasard, un homme rêvait d'une armoire bien garnie, cela voudrait dire que ses sentiments les plus purs et ses idéaux les plus élevés sont freinés et même étouffés par son propre égoïsme.

ARRESTATION : rêver que l'on est arrêté par un policier signifie que l'on sera outragé en public.

L'anticonformisme du rêveur n'est qu'une attitude extérieure car, intérieurement, il est toujours très lié aux normes conventionnelles de la société.

Voir en rêve l'arrestation d'une personne signifie que l'on éprouvera du remords pour une faute commise mais non confessée.

Le rêveur ne cherche absolument pas à comprendre son prochain, il se laisse guider par son intolérance, sa haine et son irritabilité. Même si les apparences lui sont favorables, sa conscience se réveille par moments et lui reproche ses actes inavouables.

ARROSER : rêver que l'on arrose la terre veut dire que le travail du moment ne tardera pas à donner des résultats prospères.

Les énergies positives que le rêveur pourrait utiliser sont nombreuses, mais il en ignore l'existence. Le rêve doit l'inciter à les découvrir.

Rêver que l'on arrose des fleurs, des plantes ou des légumes est un symbole de joies prochaines et méritées.

Le processus d'identification des énergies présentes dans le subconscient du rêveur est en cours ; très vite, il pourra mieux utiliser ses propres forces.

ARTISTE : rêver que l'on est un artiste, que l'on sculpte, peint, joue ou chante est un signe de célébrité et de gloire, car les œuvres d'art sont généralement admirées par la foule. Si le rêveur est un inconstant, un flatteur ou un simulateur, le rêve est une promesse de misère car, pour lui, tout est fiction et artifice. Si le rêveur est vraiment un artiste ou un savant en mal de célébrité, ses désirs seront exaucés, car se voir dans son propre milieu d'activité est symbole de gloire. Les rêveurs sont ici des êtres superficiels, plus attachés aux apparences qu'à la réalité. Ils tiennent beaucoup à la considération des autres, ils soignent l'aspect extérieur des choses et se contentent de jugements superficiels, persuadés d'être infiniment supérieurs à ce qu'ils sont en réalité.

ASCENSEUR : rêver que l'on monte dans un ascenseur veut dire que l'on aura de la chance en affaires.
Le rêveur a de grandes chances de succès, étant actif et plein d'aisance. Il a la parole facile et est porté à une conception matérialiste de l'existence. Pourtant, il n'est pas totalement satisfait de sa manière d'agir peu orthodoxe.

ASPERGE : manger des asperges, en rêve, signifie que l'on aura un succès rapide dans les affaires.
Celui qui rêve qu'il apaise sa faim en mangeant des asperges mène une existence qui, en ce moment, ne le satisfait pas pleinement. Un sentiment de mécontentement l'envahit, mais il pourra le surmonter aisément.

ASPIC (v. VIPERE)

ASSASSIN (v. CRIME)

ATTENTAT : assister à un attentat révèle qu'un grave événement changera radicalement la vie du rêveur.
Le rêveur a d'excellentes qualités de commandement, mais
c'est un tyran et il prétend imposer ses idées avec une
intransigeance absolue.

AUBE : voir poindre l'aube, symbole de la vie et de la fécondité, est un rêve heureux et positif. Il indique un avancement dans la carrière.
Le rêveur est au seuil de l'avenir avantageux qu'il désire.
L'activité consciente de sa personnalité se révèle peu à peu
et il s'en rend compte progressivement, ce qui lui permet
de profiter de toutes ses forces de manière harmonieuse.
Rêver de l'aube qui point est l'un des plus beaux rêves que
l'homme puisse faire. Il dénote sa tranquillité, sa volonté
de faire vite et bien, sa simplicité ainsi que sa patience.
Le rêve influencera positivement toute son existence.

AUBERGISTE (v. HÔTELIER)

AURORE : rêver d'une aurore, symbole de la naissance de
la vie, est un bon présage. Un danger a été évité.
Le subconscient du rêveur affleure peu à peu ; il en prend
conscience de manière intelligente ; pour lui commence une
période de sérénité et de clarté.

AUTEL : l'autel représente, en général, l'élément religieux
qui domine l'individu. Voir en rêve un autel signifie que,
très vite, le rêveur trouvera la bonne route à suivre.
Les souvenirs religieux de l'enfance marquent encore ceux
qui ont négligé, volontairement, par paresse ou par conviction idéologique, les pratiques religieuses. Leur esprit souffre

de l'absence d'un sentiment religieux authentique. Ils traversent une mauvaise période de doute, de rébellion et de passion, à cause de leurs instincts les plus bas qui tentent d'étouffer leur sentiment religieux.

Rêver que l'on garnit un autel de fleurs et de cierges indique un prochain mariage pour les célibataires ; pour les personnes mariées, le rêve annonce des discussions peu agréables avec leurs parents.

Si le rêveur est un individu particulièrement religieux, le rêve reflète un grave complexe de culpabilité et le désir de quelque intervention miraculeuse pour obtenir une absolution ou aboutir à un compromis.

Rêver que l'on voit des amis, des personnes connues, des parents ou même des inconnus agenouillés devant un autel, signifie que très prochainement le rêveur devra secourir quelqu'un qui aura besoin d'aide. Cela constituera pour lui une grande chance.

Le rêveur désire découvrir en lui les valeurs plus particulièrement religieuses qu'il héberge et enrichir, par conséquent, la partie spirituelle de sa personnalité pour se ménager un avenir plus heureux et plus serein.

AUTOMNE : rêver de l'automne, avec ses manifestations naturelles, veut dire que l'on recevra une somme d'argent. La volonté et le bon sens, qui ont influencé et orienté le rêveur, donnent maintenant leurs résultats. Le sujet a besoin de reprendre des forces grâce à une période de repos qui lui donnera la possibilité d'acquérir de nouvelles idées.

AUTOMOBILE : rêver que l'on conduit une automobile (même si le rêveur n'en est pas capable dans la réalité) signifie que l'on devra lutter longuement et péniblement avant d'atteindre le but qu'on s'est fixé.

Le rêveur souffre de l'état d'isolement dans lequel il se

trouve, isolement qui est la conséquence de son caractère individualiste. Il est la proie d'un sentiment de mécontentement, d'un malaise étrange provoqué par l'absence des petites joies qui accompagnent la vie en communauté.

Rêver que l'on possède une automobile, quelle qu'en soit la couleur, est un indice de bonne fortune tant en affaires qu'en amour. Un certain mécontentement s'est emparé du subconscient du sujet. Il ne doit en rien s'inquiéter. Des forces cachées le poussent à s'orienter vers des intérêts et des comportements plus naturels, d'une grande importance pour la formation de sa personnalité.

Rêver que l'on conduit une automobile à grande vitesse veut dire que l'on recevra très prochainement une lettre contenant de bonnes nouvelles.

La griserie de la vitesse correspond souvent à un état d'excitation, car le rêveur est impressionné par le spectacle ou la crainte d'accidents dont il redoute les complications.

Pour les femmes, le rêve reflète en général la crainte plus ou moins consciente des tromperies ou bien de la violence.

AUTORITÉ : rêve de bon augure. Un homme ingénieux vous aidera de manière sûre au cours d'une controverse.

Le rêveur ressent le besoin de s'élever spirituellement et d'enrichir son bagage culturel ainsi que sa personnalité pour mieux s'insérer dans la vie communautaire ; il s'est rendu compte qu'en s'isolant il ne peut transformer positivement sa manière de vivre.

AVALANCHE : rêver d'une grosse avalanche qui a lieu de nuit est un signe de grave danger.

Intérieurement, le rêveur n'est pas satisfait de sa vie affective, il se sent seul et isolé. La cause de cet état psychique est aisément repérable dans la vie réelle, qu'il s'agisse de solitude, d'éloignement ou de la rupture d'un lien senti-mental ou amical. Ce rêve ne doit pas le rendre soucieux ; il reflète une situation transitoire et justifiée, qui se résoudra rapidement.

AVION : voler à bord d'un avion est le rêve fréquent des personnes dominées principalement par l'ambition. Le rêveur bénéficiera d'une évolution financière avantageuse ; il aura bien-être, argent et renommée.

Le rêveur, tout en étant assez puéril et fantaisiste, a des idées claires sur le monde et sur la vie. Sa manière de penser est concrète ; il renonce facilement à orienter son existence vers le monde des sentiments pour prendre la route du succès.

Ceux qui rêvent de voler à bord d'un avion et de pénétrer dans un brouillard dense sont obsédés par des pensées tourmentées qui les troublent excessivement. Le rêve suggère au rêveur de considérer les faits avec plus de sérénité et d'objectivité de façon à s'apercevoir que, dans la plupart des cas, sa peur n'a été engendrée que par des phantasmes qu'il a créés et entretenus lui-même.

Rêver que l'on pilote un avion et que l'on est saisi par une peur effroyable à cause d'une panne de moteur qui entraîne la chute de l'appareil, révèle une inconstance permanente. Cette inconstance coûte beaucoup d'énergie au sujet et ne lui permet pas d'atteindre une conclusion positive.

Le tempérament du rêveur est caractérisé par une grande indécision. La vision du rêve indique sa tendance à l'adultère, à l'infidélité freinée par des considérations d'ordre moral.

Rêver que l'on voit le ciel obscurci par une grande quantité d'avions en vol, dénote une tendance au commandement ; le rêve est signe de puissance et de grandeur.

Le rêveur est l'homme des grandes ambitions paradoxales. Chez lui, les envols poétiques de l'imagination, qui ont lieu à l'usine ou au bureau, dénoncent une soif d'évasion.

AVOCAT : rêver que l'on parle avec un avocat signifie que l'on devra affronter de graves soucis financiers.

A ce moment, la conscience du rêveur est troublée par un conflit intérieur qui s'est créé à la suite de situations désagréables. Une intervention sage et énergique de la raison l'aidera à chercher la cause de ce trouble et à en établir les remèdes les plus opportuns.

BAGAGE : si une personne rêve qu'elle a, à portée de main, un gros bagage, c'est que son inexpérience entraînera des discordes.

Le rêveur ne sait pas reconnaître les présents de l'existence, dont son avenir est pourtant riche ; il regrette trop ce qu'il aurait pu avoir, éventuellement, par le passé.

Rêver que l'on s'est fait voler ses bagages est le signe d'un prochain voyage à l'étranger.

Le rêveur se trouve momentanément mal à l'aise parce qu'il a accordé trop d'importance à certaines valeurs secondaires, comme le prestige, la richesse et la célébrité, plutôt qu'aux valeurs essentielles et profonde.

BAGUE : pour une femme, rêver qu'elle reçoit une bague signifie qu'elle sera l'objet d'une demande en mariage.

La rêveuse est fortement influencée par le désir d'avoir une liaison sentimentale sérieuse et durable. Elle est psychologiquement esclave du désir de se marier et cela peut créer en elle des réflexes négatifs.

Rêver que l'on porte au doigt une bague de forme très étrange, ou en forme de serpent, est le présage d'une période de trahison pour le rêveur.

Le lien sentimental dont le rêveur est esclave n'est pas de nature très noble ; lui-même s'en rend compte et en éprouve

quelque honte. Cet asservissement peut influer négative-
ment sur son avenir.

Pour un ou une célibataire, rêver que l'on porte au doigt
une alliance annonce une rupture de fiançailles.

La spontanéité n'est pas un défaut pour celui ou celle qui
fait ce rêve. Mais attention ! Les exagérations sont nuisibles,
même lorsqu'elles sont inspirées par de bons sentiments.
Elles agissent trop sur l'existence et paralysent tout autre
sentiment.

BÂILLON : rêver que l'on porte un bâillon signifie que l'on
a une affaire judiciaire en souffrance.

Le rêveur se laisse porter par des impulsions généreuses.
Celles-ci, mal contrôlées, pourront lui occasionner de sérieux
ennuis.

BAIN : rêver que l'on prend un bain, dans une eau limpide
et fraîche, est un signe de prospérité dans les affaires et de
bonne santé.

Le rêveur éprouve un sentiment de malaise à cause de
certains de ses comportements négatifs ; il ressent la nécessité de réviser sa conception de l'existence et de se purifier.

Rêver que l'on se baigne tout habillé est négatif, car ce rêve
annonce des maladies ou des événements déplaisants. Le
présage est particulièrement mauvais pour les personnes
pauvres, car elles deviendront plus pauvres encore.

L'individu qui rêve qu'il prend un bain, soit en eau douce
(fleuve, lac, piscine, baignoire) soit en eau salée (mer), doit
effectuer en lui-même un travail de révision pour mieux
connaître et utiliser sa propre personnalité. Il est possible
que certains instincts tyranniques se manifestent ; ils devront
être **dominés.**

Il est extrêmement néfaste de rêver que l'on se baigne dans
une eau chaude sans transpirer. Cette vision donnera une

orientation défavorable à des affaires qui semblaient en bonne voie.

Des désirs inexprimés et des impulsions irrésistibles, dont le rêveur ignore les origines, affleurent dans son subconscient. Il sera bon qu'il les examine avec attention car il peut être aussi dangereux de les suivre aveuglément que de les négliger.

Rêver que l'on se baigne et que l'on nage est un signe de danger et de souffrances physiques.

L'eau peut très souvent représenter le sein maternel. Le plongeon et la nage révèlent que le rêveur est à ce point amer qu'il désire inconsciemment retourner dans l'élément qui symbolise le sein maternel.

BAISER : rêver que l'on embrasse une personne inconnue est synonyme de tromperie et de trahison.

Il est nécessaire que le rêveur modère ses instincts sexuels, par lesquels il se laisse trop facilement dominer.

Recevoir le baiser d'un ami est signe de déception profonde. C'est souvent un événement de la journée passée qui a laissé dans le subconscient du rêveur une sensation de crainte. La nuit va clarifier la situation et la crainte deviendra dégoût. Rêver que l'on reçoit un baiser de sa propre mère est le présage d'un héritage inespéré.

La mère apparaît rarement dans les songes de l'homme et le rêve ne peut être accepté que parce qu'il s'agit d'un désir du rêveur lié, dans l'immense majorité des cas, à des états d'incertitude et de besoin particulièrement graves. Le sujet, en proie à son désir, provoque l'apparition de celle qui lui a donné la vie car il est incapable de maîtriser les événements.

BALAI : rêver que l'on balaie sa propre habitation signifie que l'on aura de bonnes nouvelles par lettre.

Le rêve peut, pour une femme, représenter le goût de la vie

domestique ou encore le désir de se débarrasser de choses qu'elle n'apprécie guère. Il peut aussi être le reflet de déceptions conjugales accompagnées de regrets et d'espoirs inutiles. Si c'est un homme qui rêve qu'il utilise un balai pour nettoyer sa maison, il y a en lui la crainte d'être diminué aux yeux des autres.

Rêver que l'on balaie une rue veut dire que le chemin sera long, mais qu'il mène au succès.

Le rêveur ressent de l'insatisfaction et de l'ennui à cause de travaux qui ne lui conviennent pas. Le complexe qui en découle (complexe d'infériorité et de doutes continuels) révèle des regrets inutiles et des aspirations non réalisées.

BALANCE : rêver que l'on est pesé sur une balance signifie que l'on est jugé par l'opinion publique.

Si la balance penche du côté du rêveur, malgré les adversités et la situation peu claire, le rêve indique que sa conscience approuve sa propre conduite, même si les ésultats obtenus ne correspondent pas pleinement à ses désirs. Il doit prendre patience, ses mérites sont reconnus.

Si le rêveur se trouve sur l'autre plateau de la balance, cela signifie qu'il désapprouve lui-même sa propre conduite, ou pour des motifs inavouables, ou bien parce qu'il se rend compte consciemment de ses fautes.

BALANÇOIRE : pour celui qui rêve qu'il se balance sur une balançoire, une période de bonheur s'annonce. Quelques ennuis seulement dans le domaine juridique. La vie n'a guère souri au rêveur. Il sait que la chance est instable, avec des hauts et des bas. Conscient de cet état de choses, il se sentira souvent porté au jeu de la balançoire, tentant d'atteindre, par le balancement, des hauteurs vertigineuses. Pour lui, le rêve a une signification positive si le balancement est très fort, négative s'il est lent et pénible.

BALCON : rêver d'un balcon orné de fleurs signifie que l'on jouira d'un honneur éphémère.

Le rêveur tente d'apparaître différent de ce qu'il est en réalité, il accomplit un grand travail pour jeter de la poudre aux yeux des autres et se faire passer pour meilleur qu'il n'est. Il s'agit d'un signe de superficialité et de vanité.

Rêver d'un balcon qui s'effondre est un signe de catastrophe sans conséquences graves.

Le rêveur souffre d'un goût absurde pour les apparences, qui le contraint à se masquer. Il doit avoir le courage de montrer son vrai visage. Il n'en sera que plus estimé et plus apprécié.

BALDAQUIN : rêver que l'on se trouve dans un lit à baldaquin signifie que l'on bénéficiera de la haute protection de personnes influentes.

C'est le songe typique des personnes très sentimentales. Elles ont un besoin urgent de se nourrir d'idées claires, profondes, et de réalisme.

BALEINE : rêver d'une baleine annonce un grave danger pour la sécurité financière du rêveur.

Ce rêve est très utile car il indique que le tempérament du rêveur comporte de nombreux traits négatifs dont il faut se préoccuper car, étant profondément enracinés, ils ne pourront être dominés et freinés que par un effort de volonté.

BALLE : rêver que l'on joue avec une balle est un présage de retard dans la réussite des affaires.

Par paresse et indifférence, le rêveur a négligé de cultiver certaines amitiés, connaissances ou valeurs traditionnelles. Il désire revenir à l'enfance pour fuir ses préoccupations, les difficultés et les responsabilités présentes ainsi que pour renouer les liens qu'il a refusés étant jeune, par inexpérience ou égoïsme. Généralement, ce rêve est l'apanage du sexe masculin.

Voir en rêve un ballon qui vole indique que l'on se heurtera à des projets chimériques.

Le rêveur est un indécis, même s'il a déjà résolu quelques problèmes et pris des décisions qui exigent une action sûre et immédiate.

BANC : rêver que l'on est assis sur un banc de bois est un signe de gain modeste.

Le rêveur désire atteindre avec calme et patience le but qu'il s'est fixé. C'est un vaniteux qui vise un rang social élevé où il ne saura pas se maintenir.

Rêver que l'on s'asseoit sur un banc de pierre est un présage de gain important. Des sentiments et des comportements négatifs empêchent le rêveur de faire progresser intérieurement sa personnalité. Seul un examen d'introspection attentive pourra lui révéler la nature de l'obstacle qui l'arrête et lui permettre de le surmonter.

BANDIT : rêver que l'on est assailli par un bandit signifie peur et danger.

Les sentiments du rêveur sont freinés et étouffés par son égoïsme. Ce dernier, souvent bien déguisé, ne peut être identifié ; la conscience elle-même aveuglée par les passions, par l'intérêt et par l'amour-propre, est incapable de le discerner.

BANQUE : rêver que l'on perçoit une somme d'argent, quelle que soit son importance, dans une banque est synonyme de perte financière.

Le rêveur porte dans son subconscient une réserve d'énergie dans laquelle il est en mesure de puiser indéfiniment.

Rêver que l'on dépose une somme d'argent dans une banque est un signe d'incertitude en affaires.

L'accumulation d'énergie du rêveur a atteint son point culminant. Il ne s'en rend compte que vaguement, parce qu'il ressent un profond sentiment de fatigue. Cela n'entraîne pas la dispersion mais l'augmentation de ses forces qui, par la suite, lui apporteront joie et satisfactions.

BANQUET : rêver que l'on participe à un banquet en famille annonce des disputes avec l'entourage.

Le rêveur se trouve dans un moment particulièrement heureux. Ses forces, authentiques et solides, augmentent progressivement, tant dans le domaine intellectuel que sur le plan sentimental. Il devra profiter de cette période favorable pour ne pas disperser inutilement ses précieuses qualités.

BAPTÊME : rêver que l'on est baptisé est le présage d'un changement bénéfique dans les affaires.

Le rêveur doit approfondir son sentiment religieux, en l'harmonisant avec d'autres éléments qui sont déjà présents dans sa personnalité. Jusqu'ici, la religion n'a été pour lui qu'un élément d'importance secondaire ou simplement un souvenir d'enfance. Désormais, tous les aspects de sa personnalité doivent se laisser guider par le sentiment religieux, patrimoine irremplaçable de la conscience.

BARBE : rêver de sa propre barbe ou de celle des autres peut avoir diverses significations. La barbe longue, fournie et hirsute, est un bon présage pour l'orateur ou le représentant de commerce. Si une veuve rêve qu'elle porte une belle barbe, elle se remariera avec une personne cultivée et distinguée ; une personne mariée depuis longtemps qui ferait le même rêve abandonnerait bientôt son mari ou serait abandonnée par lui. Si un jeune garçon rêve qu'il est barbu cela signifie qu'il se trouve dans une période où il court de grands dangers et se compromet dans des situations fâcheuses. Les rêveurs sont ici riches de sagesse, de force, de culture et d'expérience. Ils se laissent pourtant dominer par des instincts égoïstes, par la passion et la violence. Toutefois, l'éducation reçue permet de dissimuler extérieurement cette attitude.

BARBIER (ou COIFFEUR) : rêver que l'on se fait raser par un barbier signifie que l'on doit se méfier des escroqueries.
Alors que le rêveur ressent l'exigence d'un mode de vie qui lui permettrait d'extérioriser sa personnalité sous tous ses aspects, son monde affectif l'influence d'une manière plutôt pesante et le pousse à des réflexes primitifs auxquels il voudrait échapper par un comportement anticonformiste.

BARQUE : rêver que l'on rame dans une barque est un signe de travail profitable.
Le rêveur a besoin de se mieux connaître pour choisir ses orientations. Il ne doit craindre aucune autre force en dehors de la sienne propre, même si sa vie a dépendu jusqu'ici des conseils des autres, ou pire, des prophéties des chiromanciens.
Rêver que l'on se déplace sur un cours d'eau, en conduisant une barque à moteur, signifie que l'on atteindra la richesse et le bien-être.
La façon de raisonner du rêveur est par trop simpliste. Cet homme pratique se trompe en ne considérant comme utiles que les aspects matériels de l'existence et en négligeant sa vie affective.

BATAILLE : rêver que l'on voit une bataille et que l'on y participe, est un présage de peines amoureuses.

Le rêveur est profondément convaincu de la nécessité d'un changement dans sa vie. Bien qu'il ne s'agisse pas d'une chose essentielle, ce changement aura une influence sensible sur la formation de sa personnalité et de son caractère.

BATEAU (v. BARQUE et NAVIRE)

BÂTON : rêver que l'on tient en main un bâton est un présage de peine et de tristesse.
Le bâton revient fréquemment dans les rêves de l'homme et sa signification varie selon que l'individu est plus ou moins porté à la violence. Si le rêveur est de nature violente, le songe dénote une tendance au sadisme, à l'agressivité, à des désirs incontrôlés et inavouables, ainsi qu'une grande soif de puissance. Pour les autres rêveurs, timides et faibles, le songe reflète le désir de se défendre, à l'aide d'une arme quelconque et d'avoir, pour s'en servir, suffisamment de courage et de force.

BATTRE : battre quelque chose au moyen d'un objet contondant (bâton, pierre, etc.) signifie que l'on réussira mal dans les affaires.
Les instincts du rêveur doivent être nécessairement dominés par son intelligence et sa volonté. S'il y parvient, il découvrira en lui-même un utile changement qui lui permettra de rapides progrès dans tous les secteurs de son activité.

BÉLIER : rêver d'un bélier signifie, pour les navigateurs, une crainte pour leur bateau ; pour les voyageurs, c'est le symbole de la route à parcourir. Pour les uns comme pour les autres, le présage se révélera bon ou mauvais selon que l'animal leur apparaîtra calme ou excité. Pour les femmes, le songe est synonyme d'intrigues de la part de personnes viles et sans audace.

Le monde intellectuel des rêveurs est influencé de façon très sensible par les forces du subconscient. C'est la raison pour laquelle ils ne savent pas justifier rationnellement leur façon de penser, de juger et d'agir.

BÉQUILLES : rêver que l'on marche avec des béquilles veut dire chance en affaires et amélioration dans la situation financière de la famille.
Le rêveur n'a guère confiance dans ses capacités, mais le désir de se reprendre, d'opérer avec sérénité et assurance pour réussir son avenir professionnel, se manifeste en lui.

BERCEAU : rêver d'un berceau en mouvement est synonyme d'espérances réalisées. Il s'agit d'un rêve typiquement féminin et, la plupart du temps, il reflète une situation douloureuse : impossibilité d'avoir un enfant ou difficultés dans les rapports avec le conjoint. La rêveuse désire faire profiter son entourage des sentiments d'amour et de dévotion que lui procure son instinct maternel frustré, pour ne pas se sentir inutile et sans but.

BERGER : rêver que l'on est berger, et que l'on conduit un troupeau vers les pâturages, est un présage de bonheur complet en famille et de petit gain à venir.
Le rêveur, accablé par le travail continuel et par les soucis, désire revenir à une vie agreste, simple et primitive. Très souvent, le rêve se répète pour le convaincre de se détacher de tout ce qui peut lui nuire et de jouir avec simplicité des petits plaisirs de la vie.

BÊTE FÉROCE (v. FAUVE)

BICYCLETTE : rêver que l'on se trouve sur une bicyclette et que l'on pédale est un indice de bonnes affaires.

Le caractère du rêveur ne s'arrête pas devant les difficultés. Le sujet ne craint pas la vie et l'affronte avec assurance, en étant pleinement satisfait de son comportement. C'est un signe d'équilibre, d'absence de crainte et de pudeur excessives. Le songe signale donc une personnalité saine et équilibrée.

Rêver que l'on pédale dans une descente est synonyme de perte d'argent en affaires.

Le tempérament optimiste du rêveur ne doit rien au courage, car celui-ci ne sait pas prévoir les obstacles qu'il rencontrera. Face aux épreuves qu'il devra inévitablement affronter, il ne pourra compter que sur lui-même.

BIÈRE : rêver que l'on boit un verre de bière indique qu'on est la proie d'amis peu scrupuleux.

Le rêveur est très léger. Cela cause des déséquilibres intérieurs qui se manifestent par des états d'angoisse ou des complexes d'infériorité.

BILLARD : rêver que l'on joue au billard est synonyme de petit gain au jeu, mais aussi de perte d'argent importante dans un autre domaine.

Le rêveur est un joueur doué d'un caractère combatif qui affronte tous les événements avec un esprit de polémique. Il peut obtenir quelques victoires mais, généralement, il ne s'agit que d'une dépense d'énergie injustifiée.

BISTROT : rêver que l'on se trouve dans un bistrot en compagnie d'amis, et que l'on trinque à quelque chose d'agréable, est un présage de prospérité dans le travail pour les paysans, d'agitation croissante pour l'homme d'affaires, de gain immédiat et d'avancement pour l'ouvrier et l'employé.

L'aspiration à une vie plus libre est le point-clef du rêve. Malheureusement, c'est la vie elle-même qui refuse au rêveur la réalisation de son désir, qui reste à l'état d'utopie ne nécessitant aucune interprétation supplémentaire.

BLÉ : rêver d'un champ de blé signifie fortune durable. Le rêveur a l'impression que son activité professionnelle est inutile et infructueuse. Il doit avoir encore un peu de patience ; les satisfactions sont proches pour lui et bientôt il pourra jouir du fruit de son travail.

BLESSURE : rêver que l'on est blessé, sur n'importe quelle partie du corps, est un signe d'ennuis, de peines et d'angoisses en vue.

Le rêveur est excessivement intransigeant, y compris avec lui-même. Pour être cohérent avec sa ligne de conduite, il refuse systématiquement les pensées et les raisonnements qui pourraient l'amener à reconnaître certaines volontés dont il réfute l'existence.

Voir des blessures s'ouvrir et se refermer rapidement signifie que les dangers, les angoisses et les ennuis seront de brève durée et qu'il ne faut pas perdre l'optimisme.

La tranquillité menacée redeviendra normale.

Dans ce rêve, la vision de la blessure représente la dignité du rêveur, son orgueil et la peur de subir un affront mortel dont les conséquences seraient visibles par les autres. Si c'est une femme qui a fait ce rêve, cela signifie que sa féminité a été offensée de manière dramatique.

BŒUF : rêver d'un bœuf tirant une charrue, seul ou accompagné, est un bon présage. Rêver d'un troupeau de bœufs signifie divulgation nuisible et menaces. Le rêveur est doté d'un grand esprit d'adaptation qui s'est transformé en condescendance aboulique. Il accepte tout ce qui lui arrive avec résignation, sans s'apercevoir que son aridité d'esprit le porte à la solitude morale la plus complète.

BOHÉMIEN : rêver que l'on voit des bohémiens sur le seuil de sa propre habitation est synonyme de confiance trompée. Il s'agit toujours d'un rêve menaçant ; le rêveur trahit sa peur d'être trompé ou abusé car il se sait trop crédule. Les bohémiens représentent aussi l'âme excessivement romantique du rêveur, encline à fuir la réalité.

BOIRE : rêver que l'on boit de l'eau claire et fraîche est un signe de maladie proche.
Des forces bénéfiques encore inconnues agissent sur le subconscient du rêveur. Dans le rêve, la soif l'invite à reconstruire et à vivifier ce qu'il avait imprudemment ou volontairement abandonné.
Rêver que l'on désire ardemment boire à cause de la chaleur et que l'on trouve un point d'eau (robinet, source, fleuve, etc.) asséché est un signe de passivité dans le travail.
Bien souvent, le désir de boire reflète un besoin réel du rêveur, surtout lorsque la soif est provoquée par un état fébrile. Si, au contraire, le sujet est en parfaite santé, le rêve dénote un très vif désir de connaître ce que la vie lui cache encore.

BOIS : rêver que l'on touche ou que l'on porte des objets de bois est un signe de projets réalisés grâce à des amitiés. Le bois est fortement lié aux inhibitions du rêveur. C'est un symbole qui révèle la timidité et les réticences du sujet pour l'accomplissement de certaines actions, dépendant toutes de l'état d'esprit où il se trouve.

BOMBARDEMENT : c'est une vision de mauvais augure qui annonce la mésentente et la séparation. Seuls les militaires pourront tirer quelques satisfactions de ce rêve.
Très souvent, ce rêve reflète des souvenirs réels du rêveur ou une crainte devant l'avenir. S'il devait se répéter plu-

sieurs fois, il serait bon que le sujet consulte un psychologue.

BOSSU : rêver que l'on voit un bossu est synonyme de chance imprévue et de grande prospérité familiale.
Ce rêve reflète difficilement la situation psychique du sujet. Voir un bossu est, dans la tradition populaire, un symbole de chance ; il est donc naturel que, lorsque le rêveur aspire à augmenter sa propre richesse, l'image du bossu se présente. La plupart du temps, le rêveur s'identifie même au bossu.

BOTTE (v. CHAUSSURE)

BOUCHE : rêver d'une bouche en tant qu'élément isolé est assez rare. Toutefois, rêver d'une bouche qui parle, sans que soit présent le reste du visage, est un présage d'appauvrissement et de dispersion des richesses.
Le rêveur doit absolument contrôler ses instincts car il les laisse un peu trop facilement le dominer. Il est important qu'il se rende compte qu'une éducation trop sévère ou des malentendus l'ont poussé à considérer les élans naturels comme des aspects négatifs de sa personnalité.

BOUCHER : rêver que l'on exerce la profession de boucher annonce la fin des ennuis.
La raison ignore les instincts du rêveur qui, timide et soumis, ne sait pas les maîtriser et en augmente ainsi l'agressivité.

BOUE : rêver que l'on marche dans la boue signifie que l'on devra affronter de graves ennuis.
Le rêve signale chez le rêveur l'existence — à cause d'une timidité morbide — de graves conflits entre les désirs irréalisables d'un côté et l'éducation reçue de l'autre, avec toutes les conséquences qu'une situation semblable peut comporter. Rêver que l'on marche dans la boue, qu'on la touche de

la main et que l'on a ses habits tachés de boue, veut dire que la vanité du rêveur sera satisfaite.

Lorsqu'en rêve le sujet marche le long d'une route boueuse, il craint de se souiller moralement, car la boue représente pour lui une tendance discutable, une faiblesse ou même un mensonge innocent. Lorsque le rêveur ressent la fatigue de cette progression dans la boue, il s'agit d'un symptôme de timidité morbide et de pudeur excessive dans le domaine des sentiments.

BOUGIE : il est préférable de rêver que sa propre maison est éclairée par une petite flamme claire, que par une grande flamme dégageant beaucoup de fumée. La petite lumière indique une richesse abondante obtenue honnêtement ; la grande lumière accompagnée de fumée est un présage de maladie.

La clarté d'une bougie révèle chez le rêveur la présence de désirs de chaleur humaine, de tendresse et de compréhension. Il est convaincu de valoir plus qu'il ne vaut réellement et veut se faire remarquer, en déployant tout son savoir-faire pour susciter l'admiration.

Rêver d'une bougie qui dégage une fumée nauséabonde signifie aventure déplaisante et arrestation.

Lorsque la bougie éclaire considérablement et que les traces de fumée sont abondantes, le songe révèle que le rêveur est en proie à une passion irrésistible, qui peut très bien être de caractère positif, mais qu'il convient de surveiller constamment et de refréner au moyen de la raison et du bon sens.

BOURREAU : rêver que l'on se trouve à la merci d'un bourreau est un présage de mauvaises nouvelles.

Le rêveur a volontairement renoncé à faire partie de la communauté et à assumer ses devoirs et ses responsabilités. Rongé par les remords, il est obsédé par l'angoisse d'une exécution imminente. Ses défauts comme ses faiblesses provoquent souvent la répétition du rêve. Il est donc opportun, dans ce cas extrême, de recourir au traitement par la psychanalyse.

BOUSSOLE : rêver que l'on marche en se fiant aux indications d'une boussole signifie que l'on devra demander conseil à quelqu'un (avocat, ami sûr, personne âgée, etc.).
Le rêveur est un timide qui hésite sur la route à prendre et sur la manière de se comporter lorsque la situation devient critique. Bien qu'il s'en remette aux conseils des autres, il ne devra compter que sur lui-même, sur ses propres capacités et sur sa propre volonté. L'incertitude permanente pourrait provoquer des complexes d'infériorité ou même entraîner un sentiment de révolte antisociale.

BOUTON : rêver que l'on boutonne un vêtement signifie que l'on aura des ennuis passagers avec des amis.
Le rêveur est un ambitieux qui vise une position sociale trop élevée où il ne saura pas se maintenir.

BRAS : rêver que l'on est blessé à un bras annonce une maladie pour un frère ou une sœur.
Même si personne ne s'en aperçoit, le rêveur est en train de s'enfermer dans un univers mesquin, pauvre en idées comme en sentiments. Puisqu'il en est encore temps, il doit briser l'étau de l'égoïsme et accueillir les impulsions généreuses et les passions nobles.
Rêver que l'on a perdu un bras est le présage de la mort d'un frère, d'une sœur ou d'un parent proche.
Le rêveur a mis à l'écart sa force active, au bénéfice de la raison et de l'intelligence. C'est un théoricien, un idéaliste qui ne saura jamais traduire ses pensées en actions.

BRIGAND : rêver que l'on est attaqué par un brigand signifie que l'on va perdre de l'argent.

Le rêveur refuse les valeurs de la vie en société. L'élément perturbateur lui est extérieur. Il peut s'agir de sa manière de vivre, à laquelle il accorde trop d'importance aux dépens de toute autre valeur personnelle et même de son activité. Rêver que l'on est un brigand est synonyme de menace pour la tranquillité de la vie familiale.

Le rêveur est sous l'empire de lectures qui le privent de tout sens social et font de lui un rebelle pour qui tous les autres hommes sont des ennemis. Ses instincts égoïstes le poussent à ignorer son prochain, à l'exploiter à son avantage avec une tendance grandissante à la solitude morale.

BRODERIE : rêver que l'on brode est un signe de bonheur. Si un homme rêve qu'il brode, c'est qu'il est d'une excessive féminité. Si c'est une femme qui rêve, on peut dire qu'elle est esclave de ses obligations et qu'elle néglige ce qui, pour elle, représente un désir important. Le même songe peut, d'autres fois, être le symptôme d'un tourment causé par une atteinte, sous forme de paroles ou d'actes, à la moralité d'autrui.

Rêver que l'on endosse un vêtement excessivement brodé est un signe de gain immédiat obtenu au moyen d'expédients divers. Le rêveur est un ambitieux qui ne sera pas capable de remplir les charges élevées qu'il convoite.

BROSSE : rêver que l'on brosse des habits, avec une brosse de crin, par exemple, annonce qu'on éprouvera de la tristesse à cause d'un abandon.

Si c'est une femme qui fait ce rêve, elle manifeste ainsi son infériorité par rapport au sexe masculin, infériorité provenant de désirs insatisfaits. Lorsque la vision se répète assez fréquemment, elle révèle un manque de féminité.

BROUILLARD : rêver que l'on se perd dans le brouillard est synonyme de mauvaise protection.

Le rêveur traverse une période de grand danger car les instincts et les passions sont en passe de dominer sa raison. Il se montre indécis et brouillon, mais il éprouve aussi le désir de fuir les autres.

Rêver que l'on cherche vainement quelqu'un dans le brouillard est un présage d'angoisse.

Par cette vision, le rêveur exprime sa volonté de retrouver l'amour et l'estime de ses semblables. La crainte l'emporte sur la raison, en oppressant le sujet dont le fort sentiment d'angoisse traduit la peur de l'avenir.

C

CADAVRE : rêver que l'on découvre un cadavre dans sa maison ou sur son chemin n'est pas du tout un présage funeste, mais au contraire un signe de gloire, d'honneurs et de victoire sur les adversaires.

Le rêveur est troublé par la vision qui laisse en lui une certaine impression : il est excessivement attiré par les choses et les biens terrestres. Il doit nécessairement se convaincre que tout passe et que tout doit finir. Dans l'immense majorité des cas, rêver d'un homme mort exprime la nostalgie du passé, pour une époque où le protagoniste du songe était encore en vie. Souvent c'est un désir inconscient qui crée le rêve de toutes pièces.

Rêver que l'on parle avec un cadavre est un signe de chance. C'est le cas le plus fréquent où le rêve revêt un caractère effrayant et hallucinant. Il semble au rêveur que le mort a quitté sa tombe pour lui reprocher quelque chose ; la figure onirique est souvent liée à un complexe de culpabilité. Au contraire, si le cadavre parle, c'est pour inviter le rêveur à cultiver certaines valeurs étroitement liées à la vie.

CAGE : rêver que l'on se trouve emprisonné dans une cage annonce de graves médisances.

La conscience de ses défauts et de ses faiblesses agit sur le rêveur qui finit par se sentir enfermé dans une cage. Il s'agit d'un rêve sombre dominé par l'angoisse et la terreur. Ce rêve est clairement provoqué par des actes coupables ou, du moins, contraires aux lois qui régissent la vie en société. Rêver d'une cage contenant des oiseaux est un présage de soucis familiaux. Le rêve trahit l'intolérance, le désir de liberté et la haine du rêveur. Bien souvent, ces sentiments sont déterminés et nourris par son égoïsme, si habilement dissimulé qu'il échappe au sujet lui-même.

CAHIER : rêver d'un cahier est un signe d'opposition de la part d'amis. Le rêveur garde une grande nostalgie de sa jeunesse. Si le rêve le met mal à l'aise, c'est qu'il craint que son manque de maturité soit perçu par les autres.
Le rêve constitue souvent l'indice de certains éléments négatifs de la personnalité du rêveur, dont les causes doivent être recherchées dans son enfance.

CALME : rêver de tranquillité et de calme est synonyme de persécution. Le désir réel du rêveur d'avoir un peu de paix et de tranquillité s'exprime dans ce rêve. La manifestation onirique dénonce un fort déséquilibre de la personnalité, un état d'anxiété ou une dépression nerveuse, qui exigent le calme et la sérénité ainsi, souvent, qu'une assistance médicale.

CANARD : la personne qui rêve qu'elle voit voler un canard aura d'agréables divertissements, nouera de nouvelles amitiés et se réconciliera avec d'anciens amis. Selon Artémidore, si l'on voit en rêve un canard sauvage, les amitiés seront nouées avec des femmes peu intéressantes ; s'il s'agit d'un canard domestique, on se liera d'amitié avec une femme honnête qui sera aussi une bonne mère.
Le rêveur n'est pas d'une nature très délicate et très sensible. Le danger de tomber dans un sentimentalisme creux le me-

nace. Il fera bien de se mettre à l'abri en s'efforçant de valoriser les forces plus combatives de la raison et de la volonté.

CANCER : rêver que l'on est atteint d'un cancer signifie que l'on perdra prochainement un ami.
Le rêve, s'il n'est pas la manifestation d'une peur réelle et inavouée de cette maladie, a un caractère d'avertissement. Le rêveur est en danger ; il ne sait pas regarder vers l'avenir car il est terrorisé par la vie moderne, par les découvertes, le progrès et la vie active et fébrile de tous les jours. Sa nostalgie du passé paralyse ses activités principales.

CANON : rêver que l'on manie un canon est le symbole d'espoirs fortement contrariés.
Un changement dans la vie du rêveur engendre des préoccupations ; il ne peut choisir et décider avec calme de la conduite à tenir et, par conséquent, sera contraint d'accepter passivement les nouvelles orientations de son existence.

CARREFOUR : rêver que l'on se trouve à un croisement de routes est un présage de réussite pour les projets.
Des changements imprévus désorientent le rêveur. En fait, il est dominé tantôt par l'influence de la raison, tantôt par celle du sentiment, tantôt par celle de l'instinct. Ces manifestations désastreuses d'incohérence, par manque d'une ligne de conduite définie, affleurent à sa conscience. Le rêve le tourmente afin qu'il se décide à un juste choix.

CARTES À JOUER : rêver que l'on joue aux cartes veut dire que l'on devra effectuer des dépenses inutiles et même que l'on perdra de l'argent à cause de situations embrouillées et d'escroqueries.
Le rêveur est un matérialiste ; l'érotisme, la passion, l'amour influencent son existence de façon déterminante. Il admettra

difficilement qu'il est esclave d'un sentiment ; il cherchera à le dissimuler pour tromper les autres et lui-même.

CASCADE : voir en rêve une cascade signifie que l'on devra affronter une situation embarrassante en famille.
Le rêveur peut atteindre son rendement maximum dans le travail s'il sait s'orienter vers des occupations plus dynamiques et plus simples, auxquelles il pourra se consacrer avec enthousiasme et sans arrière-pensée (appât du gain, désir de domination etc.).

CAUCHEMAR : rêver que l'on est oppressé par un cauchemar est un signe de danger.
Dans la plupart des cas, le rêve est la conséquence d'une mauvaise digestion ou d'un état d'agitation nerveuse. Dans ce cas, le songe ne peut être interprété. Si le rêveur se trouve dans un état de tension nerveuse et excessive, il fera bien de recourir aux soins d'un médecin.

CAVERNE : rêver que l'on se trouve dans une caverne annonce un abandon de la part d'un ami.
Le rêveur, bien qu'il soit considéré comme une personne respectable, de haute moralité, se trouve dans un état de décadence extrême. Il devra malheureusement reconnaître bien vite que tout cela est un signe d'absence de valeurs positives, un signe de vide intérieur.
Rêver que l'on trouve refuge dans une petite grotte, au moment où l'on est poursuivi par quelque chose ou quelqu'un, est un indice d'angoisse.
L'homme tend très souvent à fuir les difficultés en se réfugiant dans des lieux qui symbolisent le sein maternel (ici la grotte). Dans la grotte, il est soulagé, se croyant revenu dans la rassurante chaleur de la vie prénatale, à une époque donc où les soucis en tous genres lui étaient épargnés.

CERCLE : rêver que l'on est enfermé dans un cercle signifie demande d'argent.

Le sujet traverse une période de trouble et ne se rend pas compte que cet état est la conséquence d'une lutte entre sa conscience et certaines forces contraires. Il percevra le pourquoi de cette lutte lorsqu'il saura distinguer le bien du mal, l'honnêteté de la malhonnêteté.

CERCUEIL : ce rêve n'est absolument pas défavorable, comme on le croit couramment, et même, s'il ne reflète pas une préoccupation de caractère affectif (maladie de parents ou d'amis), il revêt une signification favorable car il est le symbole de l'espoir.

Le rêveur vient de sortir d'une période d'angoisse à laquelle il a accordé une importance excessive. Le sentiment de tristesse qui l'accablait n'était rien d'autre qu'une manifestation de fatigue. Ce rêve marque un changement. Le sujet peut désormais reprendre sereinement ses activités et oublier toutes ses inquiétudes.

Se voir en rêve allongé dans un cercueil est un signe d'activités profitables. Sans s'en rendre compte, le rêveur gaspille une grande partie de son énergie spirituelle et physique. Ce n'est donc pas le moment d'entreprendre quoi que ce soit, car des souvenirs désagréables, des rancœurs, des troubles et des passions rendent tout travail impossible.

CERISE : rêver que l'on mange des cerises est un présage de passion amoureuse imprévue.

Le rêveur ressent un réveil positif de ses sens. Malheureusement, ce réveil s'accompagne d'autres instincts moins sains qui brisent son équilibre intérieur.

Généralement, ce songe affecte les personnes qui sont sur le point de succomber à une passion insensée et dangereuse et qui n'ont pas la force de s'en dégager.

CHAÎNE : les chaînes sont toujours en rapport étroit avec les aventures amoureuses. Rêver que l'on est enchaîné est un signe de tristesse, de souffrance et de solitude.

Le rêveur est soumis au contrôle de sa propre conscience, qui est guidée par la passion, par l'intérêt et par un amour-propre exagéré.

CHAMBRE : rêver d'une chambre de sa propre maison, telle qu'elle est en réalité, a une valeur relative, mais si l'on remarque des différences sensibles, le rêve est un signe de tranquillité, de sérénité et d'amour. Si, par ailleurs, la chambre a une atmosphère champêtre, le songe indique le bien-être.

Si le rêveur voit une chambre somptueuse, il s'agit sans aucun doute d'un ambitieux qui désirerait fréquenter des endroits et des personnes supérieurs à son propre niveau de vie. Son aspiration est positive s'il sait s'élever sans cupidité et ne pas accorder trop d'importance aux apparences.

Rêver que l'on est enfermé dans une chambre est un indice d'inquiétude.

Le rêveur est probablement un être faible, peureux et impressionnable.

CHAMP : rêver que l'on travaille dans un champ (à semer, labourer, moissonner, etc.) est de bon augure pour ceux qui nourrissent des projets matrimoniaux, car le champ représente la femme ou l'homme, et la semence les enfants.

Un renouvellement bénéfique se produit chez le rêveur. Il n'en est pas encore complètement conscient mais, par la suite, il en subira l'heureuse influence et fera une abondante moisson de satisfactions.

Rêver d'un champ nu, ou couvert de neige et de glace, est un présage d'espérances contrariées.

Le rêveur est un insatisfait, prisonnier d'une solitude spirituelle désolante. Il doit soigner ses rapports avec les autres et veiller à ce qu'ils reposent non seulement sur les convenances et l'éducation, mais aussi sur le véritable amour du prochain.

CHAPEAU : rêver que l'on porte un chapeau, quelle qu'en soit la couleur, annonce un prochain voyage.

Généralement, le rêveur se trouve dans une période d'activité intellectuelle particulière. Il sera bon qu'il contrôle ses jugements car il se laisse trop facilement influencer par le sentiment.

Rêver que l'on porte un képi militaire ou le couvre-chef distinctif d'une certaine catégorie de personnes (soldat, policier, prêtre, juge, pompier, etc.) évoque des questions d'ordre juridique.

Le rêveur se croit infaillible et n'admet aucune contradiction dans le domaine des idées. En se comportant ainsi il ne s'aperçoit pas qu'il transgresse les normes conventionnelles de la vie en société ; il n'accorde aucun crédit à la tradition, à l'expérience et à la sagesse.

CHAR D'ASSAUT : rêver d'un char d'assaut n'est favorable qu'à l'ambitieux qui désire dominer à tout prix.

Un certain souvenir, encore vif, même s'il est très lointain, a impressionné le rêveur. Il se sent menacé par les pires instincts qui, à ce moment, sont particulièrement agressifs et créent en lui une manie, une fièvre malsaine de destruction.

CHARRETTE : rêver que l'on voit une charrette traînée par un animal signifie que les affaires progresseront de la meilleure manière possible.

Le rêveur est un ambitieux qui veut dominer mais craint les déceptions ; ainsi se laisse-t-il convaincre par son subconscient qu'il s'est engagé dans une entreprise rentable.

Rêver que l'on voit un char funèbre tiré par des animaux signifie fêtes et triomphe.

L'image du convoi funèbre révèle que le rêveur désire enterrer son passé et éliminer une situation dont les racines les plus profondes sont ancrées dans quelque trait de son caractère ou de son comportement.

CHASSE : rêver que l'on va à la chasse n'est pas un rêve favorable. Celui qui se voit chasser des animaux subira des accusations et sera pris de colère à cause de mauvaises nouvelles.

Le rêveur est prêt à affronter un changement radical de son existence, changement qui influencera son intelligence et sa volonté en lui apportant progrès et bien-être.

Rêver que l'on chasse des êtres humains est défavorable, signe d'accusations et de médisances. Le rêve est néfaste à ceux dont le métier consiste à poursuivre des personnes. Le rêveur possède d'excellents dons de commandement mais, en tyran, il prétend imposer ses idées avec trop d'intransigeance. Lorsqu'il se trouve devant des obstacles insurmontables, il est en proie à des tourments accompagnés de désirs de vengeance.

CHAT : rêver que l'on voit un chat noir est un signe de perfidie et de trahison.

Le chat, symbole de la féminité, n'impose pas un commentaire particulier car il s'agit d'un rêve typiquement masculin. En général, les jeunes gens se voient en train de caresser le félin ou cherchant à le capturer par tous les moyens. Cela révèle en eux la peur de la perversion qui peut donner lieu à des conséquences désagréables. Le chat indique aussi l'impulsivité du caractère du sujet. Le songe signifie qu'il devrait se laisser guider un peu plus par les sentiments car c'est un être trop rationnel.

Rêver que l'on se bat contre un chat, qu'on le griffe et qu'on le mord indique que l'on doit se méfier des voleurs et les combattre de toutes ses forces. Ce songe — plutôt féminin — peut révéler le désir de la rêveuse de modifier sa personnalité, d'acquérir aisance et combativité, ce qui exprime ses impulsions sentimentales. C'est le rêve caractéristique des femmes qui ont un comportement masculin.

CHÂTEAU : rêver que l'on se promène parmi les ruines d'un vieux château annonce des honneurs mais aussi des calomnies. Tous ceux qui l'approchent considèrent le sujet comme une personne capable, riche d'initiatives honnêtes et laborieuses. Mais, en réalité, il en va bien différemment : il se trouve dans un état de décadence avancée ; il a étouffé ses meilleures tendances et laisse la voie libre aux impulsions purement rationnelles. Il s'aperçoit trop tard de son désordre intérieur et de son absence de motivations morales.

CHÂTIMENT (v. PEINE)

CHAUSSURE : rêver que l'on porte une paire de chaussures usées est un signe de prochaine pauvreté.
Le songe indique que le rêveur espère en son avenir et que le désir d'avancement figure en bonne place dans son subconscient. Bien souvent, il révèle la crainte que ses projets ne soient connus des autres. Si une femme rêve qu'elle porte des chaussures usées et en éprouve un certain plaisir, c'est qu'elle désire s'imposer à l'attention de ses semblables.
Rêver que l'on marche dans la boue avec des chaussures non adaptées à cet usage annonce une grande misère.
Le rêveur est timide et complexé. Le rêve trahit souvent sa crainte de laisser deviner quelque chose qu'il désirerait tenir secret. S'il était plus spontané, il se sentirait bien plus à l'aise.

Rêver que l'on porte une paire de chaussures trop petites est un signe de grandes restrictions.

Si, pendant la journée, le rêveur a souffert d'un mal de pieds à cause de chaussures trop petites, la sensation douloureuse se répercute jusque dans le sommeil, et le rêve ne se prête à aucune interprétation. Dans les autres cas, il traduit chez le rêveur la crainte de devenir adulte ; le sujet préfère garder une place protégée et sûre dans l'enfance plutôt que d'affronter les responsabilités de l'âge d'homme. Quel que soit le motif qui a engendré le rêve (fatigue physique ou manque d'assurance), le sujet doit réagir, chercher la cause de son malaise et le combattre pour pouvoir s'en débarrasser.

CHAUVE-SOURIS : rêver d'une chauve-souris volant dans une chambre est un signe d'affliction.

C'est un rêve qui trouble le subconscient du rêveur et qui est causé, dans la plupart des cas, par un souvenir angoissant. Lorsqu'un tel rêve devient une obsession et se répète avec insistance, il se peut que la santé même du sujet soit sérieusement compromise. Un traitement médical s'impose alors.

CHÈQUE : rêver que l'on reçoit un chèque signifie que l'on devra bientôt payer une grosse dette.

Des affaires peu rentables provoquent l'appréhension et la dépression du rêveur qui se reflètent dans le songe. Obsédé par la mauvaise marche des affaires, le sujet cède à la première difficulté, persuadé qu'il ne pourra la surmonter.

CHEVAL : rêver d'un cheval docile et obéissant est un excellent présage. Il annonce des gains importants, des marchés intéressants, avec de bonnes ventes et des acquisitions rentables.

Le rêveur se trouve en parfaite harmonie avec sa conscience.

Cette tranquillité lui permet de jouir d'une période particulièrement favorable. Il lui faut donc en profiter.

Rêver que l'on chevauche un cheval effrayé, qui s'emballe. annonce des ennuis professionnels.

A cause d'un événement douloureux, d'une passion, d'un brusque changement de vie ou d'une humiliation subie en présence de tiers, l'équilibre entre la conscience et l'inconscient est menacé. Seule la volonté peut remettre les choses sur pied.

Rêver que l'on chevauche un cheval effrayé, qui s'emballe, au pâturage est un signe de travail laborieux bien récompensé. La signification, pour le rêveur, peut être liée à des souvenirs d'enfance et à des impressions reçues au temps où le cheval était encore un moyen de transport répandu.

De plus, l'influence des westerns ne saurait être négligée ; le rêve ne serait alors relié ni à un complexe d'infériorité ni à un désir d'évasion, mais à un retour du subconscient vers le passé ou au désir de se substituer aux héros de l'Ouest.

CHEVEUX : rêver que l'on a des cheveux ébouriffés est un signe d'ennuis, de douleurs et d'outrages.

Lorsque les cheveux sont au centre de l'attention du rêveur, peu importe qu'ils soient ébouriffés ou lisses, blancs ou noirs ; ce qui compte, c'est la sensation qu'ils suscitent. Si c'est un homme qui rêve, il fera bien de durcir son caractère car il a des tendances trop féminines ; si, au contraire, il s'agit d'une femme, elle devra s'efforcer d'être plus simple car sa personnalité repose tout entière sur l'artifice. Dans les deux cas, l'existence de la personne doit se transformer, évoluer vers la simplicité et le naturel.

CHIEN : rêver d'un chien, quelle qu'en soit la race, signifie que l'on désire être aimé, protégé, avoir près de soi une personne affectueuse et fidèle (jusqu'au sacrifice).

Ce rêve représente généralement la générosité du sujet, qui est toujours prêt à donner sans rien demander en retour. Sa raison le contrôle intelligemment, sans le contraindre, et le met en parfaite harmonie avec ses instincts et ses passions. Rêver d'un chien féroce qui bondit sur le rêveur est signe de préoccupations sentimentales.

Sentiments et instincts affleurent avec une force sauvage dans le subconscient du rêveur. Il lui faudra les combattre, même au prix de grands sacrifices, car ils sont indignes de lui et de son équilibre intérieur.

Rêver que l'on caresse un chiot indique que l'on a de très grandes responsabilités dans la vie familiale.

Le rêveur a une vie affective troublée. Il ne doit cependant pas s'en inquiéter car une remise en ordre s'effectue en lui, ce qui cause quelques troubles, certes, mais aboutira finalement à l'harmonie et à l'équilibre de ses sentiments.

CHOUETTE : rêver que l'on voit une chouette posée sur une branche est un signe néfaste pour le rêveur : les entreprises financières en cours seront troublées ou arrêtées.

Le comportement nostalgique et conservateur du sujet, pour lequel n'est beau que ce qui fait partie du passé, le prive de l'espoir et de la confiance, qui sont les forces constructives de la conscience humaine.

Rêver d'une chouette poussant son cri lugubre est de mauvais augure : c'est l'annonce d'une agonie, un signe de mort. Le songe trouble ou arrête le développement des entreprises commerciales ou industrielles récentes.

Le rêveur a été troublé par quelque événement sanglant, c'est pourquoi la présence de l'oiseau de nuit, signe de la mort, influence son rêve. Sa conscience est certainement tourmentée par le remords concernant des fautes commises et non confessées, car elle le ramène à des comportements intérieurs moins blâmables à l'égard des autres.

CIERGE : rêver que l'on allume des cierges est un signe qui annonce une naissance dans la famille.

Que le cierge soit grand ou petit, il donne au rêveur une sensation de chaleur humaine, de tendresse. Le sujet, grâce à son altruisme et à son expérience, a la possibilité d'entraîner les autres. Le songe est très beau, mais si l'on n'y prend garde, en plus des graves responsabilités qu'il implique, on trouvera l'amertume et la désillusion.

CIMETIÈRE : rêver que l'on se trouve dans un cimetière n'est pas un mauvais présage comme on pourrait le croire. Le rêveur fera bientôt un héritage.

Le sujet a une nostalgie marquée pour tout ce qui touche au passé. Il a devant lui une vie entière, pleine de richesses. Mais pour les reconnaître il ne doit pas se tourner constamment vers le passé et s'attrister par d'inutiles regrets, il doit plutôt vivre au présent et regarder vers l'avenir.

Rêver que l'on se trouve dans un cimetière en compagnie de fantômes annonce la fin de la solitude et de la misère. Le rêveur est incapable de progresser et de s'orienter seul et c'est pourquoi il a besoin de la présence des personnes qui, de leur vivant, exerçaient une influence bénéfique sur lui, en le guidant et en le soutenant dans l'adversité.

CISEAUX : rêver que l'on a des ciseaux entre les mains est un signe de litige.

Le rêveur est arrivé à un tournant important de son existence. Il faut qu'il prenne des décisions rendues indispensables par la pression extérieure. Il hésite encore sur la route à suivre car la situation qui s'est créée impose de douloureux renoncements, mais il devra décider rapidement et n'aura pas le temps de méditer sur la conduite à tenir.

Rêver que l'on coupe un fil de coton, un fil de laine, de la toile, ou autre chose annonce la mort d'un ami.

Le rêveur doit se consacrer avec plus de conscience à son travail afin de mettre en valeur les vérités fondamentales de son existence.

CLOCHE : entendre sonner en rêve une ou plusieurs cloches est un signe de malheur et d'alarmes justifiées.
Le rêveur est épouvanté par la vie moderne. Il ne sait pas se tourner vers l'avenir et revient continuellement avec obsession aux souvenirs de son passé.

CLOÎTRE : rêver que l'on se trouve dans un cloître, avec des habits de moine est un présage de paix et de tranquillité pour la famille du sujet.
Il s'agit d'un rêve typiquement féminin et caractéristique surtout des enfants qui ont été élevés dans une atmosphère religieuse. La rêveuse craint de perdre son innocence et redoute les conséquences qui en découleraient.

COLÈRE : rêver que l'on est pris d'une colère violente annonce la réussite de projets médités depuis longtemps.
Celui qui rêve qu'il est en colère et il s'agit généralement d'une colère profonde et forte, doit avouer sa faiblesse devant certains événements. Inconsciemment, le sujet laisse aller sa tension nerveuse pour justifier ses fautes et ses échecs. Il est faible, timide, et ne sait pas affronter la réalité.

COLIS : rêver que l'on reçoit un colis annonce de bonnes nouvelles dans le domaine des affaires.
Le songe révèle les espérances du rêveur quant à la résolution de ses difficultés, grâce à l'intervention providentielle d'une personne influente, d'un ami ou d'un parent : il risque d'être déçu. Le bon sens devrait lui apprendre à ne pas compter sur des solutions miraculeuses et à ne pas vivre de chimères.

COLLIER : rêver que l'on porte un collier précieux est un mauvais présage.

Le rêveur est intérieurement riche, mais il ne sait pas se servir de ses dons ; il est tourmenté par divers complexes d'infériorité qui l'empêchent de s'exprimer complètement. Tout cela est injustifié, il devrait donc avoir une plus grande confiance en ses moyens.

COLOMBE : rêver d'une colombe est un signe d'événements heureux en famille, d'excellente réussite dans les affaires et aussi le présage du début d'un amour sincère.

Le rêveur est de nature délicate et sensible, porté au sentimentalisme et à l'idéalisme. S'il sait éviter, par un effort de volonté, tout excès et tout attendrissement, il tirera de grands avantages de son durcissement sentimental et se forgera une personnalité plus rude et plus combative.

COMÈTE : rêver que l'on voit une comète est un symbole de discorde, d'ennuis et de famine.

Le rêveur est excessivement matérialiste et n'apprécie que ce qu'il peut obtenir, grâce à son intelligence mise au service de l'imbroglio et de la spéculation. Sa situation est très dangereuse car elle le pousse à mépriser tout sentiment et à renoncer à sa dignité.

COQ : rêver d'un coq qui chante est l'annonce anticipée d'une chance inattendue en affaires.

Le rêveur est un présomptueux. Il prend facilement au sérieux les flatteries et les compliments dont il est l'objet et il aime même les provoquer.

Il manque de bon sens et il doit donc veiller à ne pas avoir des comportements qui pourraient le discréditer aux yeux des autres.

CORBEAU : rêver d'un corbeau est signe de douleur et de déception.

Des pensées obsédantes et morbides envahissent l'esprit du sujet. Elles pourraient, traitées à la légère, se transformer en authentiques fixations risquant d'engendrer de graves déséquilibres. On ne peut que conseiller le repos et le recours à un traitement médical.

De toute façon, éviter les soucis.

COURSE : rêver que l'on court, particulièrement si le sujet est malade, et que pendant la course il ne perçoit plus le poids de son propre corps, est un signe de santé qui indique la fin des souffrances physiques.

Le songe révèle au sujet qu'il se trouve dans une période de liberté psychique extrême (surtout lorsque la course a lieu sans aucune difficulté).

Rêver que l'on court désespérément, poursuivi par quelque chose ou quelqu'un, et que l'on reste pourtant à la même place, est synonyme de tourments causés par des questions d'ordre familial.

C'est un songe angoissé qui est l'indice d'une grande incertitude et d'une peur excessive. Un fait extérieur, même une simple rencontre non désirée ou le souvenir d'un échec, a provoqué un trouble chez le rêveur. Il est nécessaire de connaître les causes qui ont engendré le songe afin que les angoisses ne se développent pas et ne puissent donner lieu à des dépressions nerveuses, des sautes d'humeur ou des accès de mélancolie.

CRAPAUD : rêver d'un crapaud avertit le sujet d'un danger qui le menace.

Le rêveur subit actuellement une transformation psychique positive, née de renoncements douloureux et cependant indispensables à son bonheur.

CRI : rêver que l'on pousse un cri angoissé est un présage de mauvaise nouvelle.

Par ce rêve, le sujet manifeste une peur terrible (à cause d'une atmosphère chargée d'horreurs provenant des récits effrayants de sa jeunesse) ou bien extériorise son caractère faible, capricieux et tyrannique forgé pendant l'enfance et amoureusement cultivé par des parents trop bienveillants. Les cris jouaient alors pour le rêveur le rôle d'une baguette magique qui faisait apparaître les parents, lesquels s'appliquaient à satisfaire ses moindres désirs. L'adulte garde un tempérament hystérique et capricieux et le cri, qui devient hurlement, reste présent dans le rêve.

CRIME : rêver que l'on commet un crime est un présage de victoire sur les ennemis.

Il est rare qu'on accomplisse en rêve un crime dicté par la haine et, lorsque cela se produit, c'est le signe que le rêveur est en pleine crise nerveuse. Dans la plupart des cas, le crime vise à supprimer un trait de caractère que le sujet considère comme néfaste pour son propre équilibre. Rêver que l'on est victime d'un crime est symbole de tristesse. Le rêveur souffre d'un complexe d'infériorité et se reproche des fautes imaginaires. Rêver que l'on est assassiné signifie que l'on veut se détruire soi-même afin de pouvoir recommencer une autre vie, différente et plus rationnelle.

CYCLONE (v. OURAGAN)

D

DANSER : celui ou celle qui se voit en train de danser dans sa propre maison, seul, avec des personnes connues ou en présence d'amis aura une richesse facile.

Le rêveur a besoin de plus d'harmonie intérieure car certains comportements puérils et simplistes continuent à se manifester en lui.

Voir danser ses parents, des membres de sa famille ou des amis chers est un rêve néfaste, synonyme de dangers cachés. Si le rêveur n'a pas la conscience tranquille il risque d'être jugé et même condamné.

Le rêveur est humilié et découragé. Son désir de succès a été déçu ; il craint les critiques et les sourires ironiques de ses parents et de ses amis ; il croit, à tort ou à raison, qu'ils peuvent encore empêcher la réalisation de ce qu'il veut accomplir.

DAUPHIN : rêver que l'on voit un dauphin dans son élément naturel est un mauvais présage ; cela annonce une perte de biens. La vision indique que les aspects négatifs de la personnalité du rêveur affleurent. Ils pourront être maîtrisés par la volonté mais ne disparaîtront jamais complètement.

DÉCAPITATION : rêver que l'on est décapité annonce la mort des parents, des frères ou de familiers proches.

Il est nécessaire que le rêveur change complètement sa manière de penser, de raisonner et d'agir. C'est une personne pratique qui exerce son énergie dans l'action et le matérialisme, au mépris de tout ce qui est sentiment et sans respect aucun pour les opinions des autres.

DÉFUNT : rêver que l'on voit apparaître une personne défunte peut avoir diverses significations selon la manière dont celle-ci se présente et parle. Si le défunt est souriant et tranquille, le songe annonce des surprises agréables et de bonnes nouvelles. S'il se présente avec un visage courroucé et avec bruit, il indique que le sujet a commis une action peu correcte et sa présence constitue un rappel à la loyauté. Dans tous les cas, ce rêve annonce un héritage ou des gains inespérés.

Selon la croyance populaire, les morts font de nombreuses visites aux vivants (toujours en rêve) avec qui, d'une manière ou d'une autre, ils étaient liés par une grande affection. Les manifestations oniriques de ce type sont plutôt fréquentes. De plus il est logique que le fait de voir en rêve un défunt laisse une impression durable et que, par conséquent, la vision marque plus que tout autre la mémoire du sujet.

Rêver d'une personne défunte exprime la nostalgie du rêveur pour l'époque où celle-ci était en vie ; l'insatisfaction engendrée par l'existence provoque dans l'inconscient un désir de retour au passé. Si la vision est effrayante et donne lieu à un sentiment de terreur elle indique que le rêveur porte en lui un complexe de culpabilité, qui lui fait craindre que le mort ne vienne lui reprocher sa conduite et ne le rappelle à une existence plus correcte.

DÉLUGE : rêver que l'on se trouve au centre d'un déluge est un présage de gains importants. Les calomnies dont le rêveur est victime cesseront bientôt et son bien-être en sera amélioré.

Le sujet souffre d'un sentiment de culpabilité mais éprouve en même temps un désir d'évasion et de purification. Il s'agit d'un éveil de sa conscience et de sa vie spirituelle, éveil causé par un traumatisme psychologique ayant entraîné une crise positive.

DENTS : la bouche représente la maison et les dents ceux qui y habitent. Rêver que l'on perd des dents est un phénomène fréquent qui annonce la mort d'un parent et même, quelquefois, une perte de biens, d'argent et d'objets précieux.

Si le rêve est fait par une femme, il reflète sa peur de vieillir, de ne plus plaire ou de perdre l'affection de l'être qu'elle aime. Un mal de dents persistant peut aussi engendrer ce rêve et, dans ce cas, aucune interprétation ne s'impose. Si le sujet est un homme, la vision traduit sa peur de l'impuissance, sa crainte de perdre sa richesse, son emploi, l'affection de la femme qu'il aime, ou de voir ses ambitieux projets partir en fumée.

DÉPART : rêver de départ annonce des avantages dans le domaine du travail.

Le rêveur trahit sa peur d'une rupture et exprime son état d'esprit mélancolique et triste. Le songe peut aussi traduire un désir d'évasion, de fuite devant une situation difficile : c'est le rêve classique de ceux qui voudraient échapper à leurs responsabilités. Dans le cas où le rêveur voit partir l'être aimé, la vision révèle sa peur d'être trompé et son désespoir de ne pouvoir enchaîner à lui la personne en question.

Rêver que l'on part à bord d'un paquebot annonce que l'on aura des ennuis avec des femmes.

La pensée du rêveur aurait besoin d'être dirigée. Il est puéril et fantaisiste, surtout dans ses jugements. Il doit être plus concret et renoncer à orienter son existence vers une activité intellectuelle car les sentiments et l'imagination bouleverseront sa personnalité.

Rêver que l'on part en avion est symbole de solitude momentanée.

Le rêveur est obsédé par des pensées tourmentées qui le troublent inutilement. Il doit considérer les faits avec plus de sérénité et d'objectivité. Il s'apercevra que, dans la plupart des cas, son esprit a donné corps à des ombres inexistantes, à des soucis dépourvus de causes réelles.

DÉS : celui qui se voit jouer aux dés ne tirera aucun bénéfice de son rêve. Au contraire, celui-ci est un présage de mauvaises nouvelles.

Le sujet est un résigné, un indifférent enclin à céder trop facilement à la superstition et à la fatalité. Il s'en remet au hasard, renonce à forger lui-même son avenir. Cela peut l'amener à un gaspillage d'énergie et, souvent, à des déceptions et à des humiliations.

DÉSERT : rêver que l'on se trouve dans un désert est signe de soucis, de malheur et d'échec en affaires.

Le rêveur refuse de s'insérer dans une vie normale de travail. Il s'isole et se détache de l'existence et des rapports sociaux. Il est rebelle à toute autorité et refuse l'ordre, clef de voûte de la société, à la fois par égoïsme et par souci d'échapper à ses devoirs.

Rêver que l'on parcourt un désert, à l'aventure, signifie que le sujet est une personne généreuse et noble. Le songe annonce avec certitude un grand succès en affaires.

Le rêveur fuit la société car ses lois et ses principes l'irritent. Par nature, il est réfractaire à toute contrainte.

DÉTONATION : rêver que l'on entend un tir d'arme à feu est un présage de prochaine maladie.

La détonation entendue en rêve est toujours le reflet d'un bruit réel perçu au même instant et qui provoque le réveil immédiat du sujet. La signification de ce rêve est donc tout à fait négligeable.

DÉTRUIRE : rêver que l'on détruit quelque chose avec rage annonce une dispute amoureuse.

Si le rêveur se voit défouler sa colère contre quelque chose, il révèle ainsi sa faiblesse et son impuissance devant certains événements auxquels il attribue tous ses échecs.

DIABLE : rêver que l'on rencontre un diable ou qu'on en est l'ami et approuve ses mauvaises actions indique le danger et la douleur.

Rêver du diable a toujours une grande importance pour le sujet. Celui-ci est menacé par un danger imminent, d'ordre psychique. A son insu, la violence et la méchanceté se développent dans sa conscience, aux dépens de son sens de la justice et de sa bonté. Il en arrive à justifier des attitudes qu'il aurait condamnées en temps normal.

Rêver de manifestations diaboliques, comme par exemple des fumées jaunâtres ou des bûchers étranges, est synonyme de danger, de tromperie de la part d'amis fidèles et même de membres de la famille.

Les passions obscures qui agitent le rêveur proviennent de sa façon de vivre, de penser et de juger les actions d'autrui, amis et ennemis.

Ce rêve est quelquefois un héritage de l'enfance, de l'atmosphère de terreur dans laquelle le sujet a vécu, de ses peurs irrationnelles et de l'éducation qu'il a reçue de ses parents, éducation qui a manqué son but.

DIFFICULTÉ (v. OBSTACLE)

DISPARITION : rêver de la disparition de son conjoint, de la personne aimée ou d'objets personnels, révèle l'imminence d'un vol, l'éloignement d'une personne chère ou la perte d'objets de valeur.
Le songe reflète une déception ou la crainte du rêveur d'être déçu. Celui-ci est timide, honteux même, et tourmenté par un sentiment d'infériorité. Il sera nécessaire d'identifier les motifs qui ont engendré la situation actuelle afin d'intervenir énergiquement.

DON : rêver que l'on reçoit un don quelconque est un signe de changement dans le train de vie. Si l'on est pauvre, le changement aura une valeur positive ; si l'on vit dans l'aisance, le songe annonce la misère et la perte d'un bien financier.
Le rêveur ressent l'exigence d'une vie plus droite, condition qui lui vaudra, en retour, de recevoir tout ce qu'il désire et tout ce dont il a besoin.

DORMIR : rêver que l'on dort est un signe de mauvaise réputation et un présage d'infirmité à la suite d'un accident. En rêve, le sujet voit ses projets se heurter à de graves difficultés et s'enliser. Il ne peut arrêter le cours du destin car c'est un individu dépourvu de personnalité et d'initiative. Il préfère fermer les yeux devant l'adversité plutôt que de la regarder en face. Naturellement, il ne saura jamais mener ses projets à bon port, oppressé et tourmenté qu'il est par le complexe qu'il sent grandir en lui.

DOULEUR : ressentir des douleurs, en quelque partie du corps que ce soit, est un présage de maladie. Les douleurs dentaires annoncent la guérison d'un membre de la famille ;

les douleurs aux oreilles indiquent au rêveur que l'on dit du mal de lui derrière son dos.

La douleur physique éprouvée pendant le rêve reflète presque toujours une souffrance réelle, conséquence d'une mauvaise position du dormeur.

DRAGÉES : rêver que l'on distribue des dragées signifie que l'on devra affronter des dépenses inutiles.

Le rêveur est insatisfait de ses sentiments affectifs. Il ressent le désir de changer et en même temps la crainte de ne pas réussir à contrôler et à surmonter ce moment d'indécision.

DRAGON : rêver que l'on voit un dragon est un indice de profit dans le travail.

Ce rêve est presque toujours le souvenir de quelqu'un que l'on craint et que l'on déteste pour sa violence ; mais c'est aussi le miroir de la faiblesse du rêveur, de ses vices et de ses tendances secrètes les moins avouables. Il est parfois la conséquence de récits pour enfants qui ont troublé le rêveur et qui se répètent chez l'adulte de manière angoissante.

DRAP : rêver que l'on est couvert d'un drap annonce un prochain héritage.

Le désir de richesse imprévue ou d'héritage de la part d'un parent menacé par la mort détermine le rêve. Le désir du rêveur est tel qu'il lui fait souhaiter la mort de ce parent dans le but de s'enrichir et de profiter d'une aisance qui ne lui aura coûté aucun effort.

DRAPEAU : rêver que l'on voit un drapeau flotter au vent signifie que l'on aura des ennuis d'ordre judiciaire.

Le rêveur est de caractère changeant ; lorsqu'il a des ennuis, il ne sait y échapper que par le mensonge. Sa conscience est gravement troublée par cette attitude blâmable, que par paresse et par peur il ne se résout pas à abandonner. Rêver que l'on voit des drapeaux flotter aux fenêtres et aux balcons est un signe d'ennuis politiques.

Le songe révèle un état d'âme particulier du rêveur. Des idées contradictoires le rendent aveugle et indifférent aux autres activités, tant dans le domaine professionnel que dans celui du sentiment. Sa conscience est troublée et il ne s'en rend pas compte. Le rêve le ramène à la réalité, où il devrait pouvoir s'orienter de manière plus sûre.

E

EAU : rêver d'eau est toujours de bon augure, excepté s'il s'agit d'eau entraînant des ravages (inondations par exemple). Madame de Thèbes dit que, pour une personne née un jeudi, rêver d'une eau quelconque ne peut donner lieu à une interprétation certaine car le rêve reste toujours imprécis ; mais pour une personne née un lundi, le même songe est clair, réel, et promet la joie et la fortune. Rêver d'une eau cristalline qui coule bruyamment annonce que les mérites du sujet seront reconnus.

Celui qui rêve d'une eau courante d'un fleuve, d'une source, d'un torrent, du murmure d'un ruisseau dans la campagne porte en lui de grandes forces cachées, dans lesquelles il pourra puiser abondamment pour en tirer de grands bénéfices.

Voir en rêve de l'eau qui bout dans un récipient quelconque et voir la vapeur s'échapper en spirale, annonce une victoire imprévue et une grande chance.

Le tempérament du rêveur, fougueux, impulsif et généreux, est en train d'évoluer enrichi par des forces positives. La transformation sera perçue par la conscience et cela influera sur la capacité du rêveur à distinguer le bien du mal.

Rêver d'un étang rempli d'une eau putride n'est pas un bon présage. Des disputes et des litiges sont en vue, provoqués par les autres et causés par une tromperie. Ce songe représente la partie la plus profonde du subconscient du sujet. Celui-ci est en proie à des impulsions instinctives difficilement contrôlables. Ses désirs, souvent irréalisables, affleurent à la conscience. La situation est peut-être momentanée. Dans ce cas, une intervention décisive de la volonté est nécessaire afin de maîtriser et de dominer les passions et les instincts.

Rêver que l'on boit de l'eau salée, dans une bouteille ou directement dans la mer, annonce que des larmes seront versées à la suite d'une dispute amoureuse. Le rêveur doit renoncer à certaines habitudes et à certains sentiments infantiles et chercher à se forger une personnalité plus mûre.

Rêver que l'on s'enfonce lentement dans l'eau, malgré des efforts répétés pour se maintenir à la surface, signifie que l'on devra se plier aux contraintes humiliantes d'une personne tyrannique. La signification est douloureuse, mais il faut examiner soigneusement la personne en question et, s'il s'agit d'une personne connue, prendre ses précautions afin de réagir avec volonté à la situation.

La vision obsède le rêveur. Son réveil est accompagné d'un sentiment d'angoisse et de terreur qui rend sa respiration haletante et augmente, en le perturbant, le rythme de ses battements cardiaques. Le sujet revit une situation qui s'est déjà produite dans la réalité. Le rêve n'a donc pas de valeur symbolique mais, si le sujet n'a jamais couru aucun danger au contact de l'élément liquide, on attribue sa frayeur à une trop grande solitude. Il se noie dans un océan d'amertume que seul son subconscient est en mesure d'exprimer.

Rêver que l'on se baigne dans une eau limpide, seul ou accompagné, est un signe de tranquillité d'esprit et de pureté de sentiments à l'égard des autres.

Le rêveur a la conscience tranquille. Le songe reflète sa propre image, celle d'une personne droite et consciente de ses devoirs.

EAU-DE-VIE : rêver que l'on boit de l'eau-de-vie annonce une prochaine affliction ; si l'on en perçoit la saveur âcre, c'est que la peine sera très forte.

Le rêveur est d'une nature rude. On peut affirmer avec certitude que l'affliction sera la conséquence de son caractère.

ÉCHAFAUD : rêver que l'on monte sur l'échafaud est un indice de bonne réussite dans les affaires et de prospérité imminente.

Le rêveur a volontairement renoncé à s'insérer dans la société et à en subir les contraintes. Il s'est isolé de la communauté, même s'il continue à vivre parmi les hommes. Son comportement engendre des remords car son sens de la justice est resté très vif.

ÉCLAIR : rêver que l'on voit un éclair suivi d'un coup de tonnerre est un présage de craintes injustifiées.

C'est un songe assez rare qui dénote un bon équilibre psychique. Le rêveur a gagné une grande bataille, contre le monde ou contre lui-même. Il a réalisé un désir ou il a la certitude de pouvoir le réaliser bientôt.

ÉCLAIRAGE : rêver que l'on voit des lampes, des torches ou des bougies, qui s'allument brusquement, est un signe de joie.

Le rêveur est entraîné par une nouvelle passion qui peut très bien être positive, mais qui devra être examinée à la lumière de la raison et du bon sens.

Rêver de sa propre maison éclairée par quelques lampes est synonyme d'abondance et de richesse ; s'il s'agit d'une grande illumination dégageant de la fumée : perturbations ; si la maison contient de nombreuses lampes, torches et bougies dont certaines sont allumées et d'autres éteintes : présage de misère ; si elles s'éteignent toutes brusquement :

signe de mort. Pour un marin, voir son bateau éclairé en plein jour est un indice de tranquillité et de sécurité dans les voyages.

Que l'éclairage soit discret ou violent, et quel que soit l'objet ou les objets éclairés, le songe révèle un grand désir de tendresse de la part du rêveur. Il avance impunément parmi les lampes, les torches et les bougies allumées car il est bien décidé à surmonter tous les obstacles pour atteindre le but visé.

ÉCLIPSE : rêver d'une éclipse, de soleil ou de lune, est un présage de manque de chance, de perte d'amis ou de parents chers.

Ce rêve représente pour le sujet un élément externe de peu d'importance. Pourtant, cet élément peut avoir une influence négative sur sa vie, diminuer sa clarté de vues et éteindre les espoirs concernant son avenir.

ÉCOLE : rêver que l'on va à l'école est un signe de joies simples.

Le rêveur manque d'assurance. L'infantilisme et les peurs injustifiées dominent en lui, c'est pourquoi il remet au jugement des autres les décisions qu'il devrait prendre.

ÉGLISE : rêver que l'on se trouve dans une église signifie consolation et tranquillité.

L'église représente pour le rêveur l'élément de base de son éducation religieuse. C'est le rêve caractéristique de ceux qui, par négligence ou à cause d'une idéologie contraire, ont volontairement abandonné la religion. Ils ressentent maintenant son absence et éprouvent un désir de clarification.

Rêver que l'on s'enfuit d'une église dont les portes sont grandes ouvertes indique une peine secrète et hypocrite.

Le rêveur traverse une mauvaise période de doutes en ce qui

concerne son activité religieuse. Les passions, les instincts, les forces matérialistes tentent, en effet, d'étouffer en lui tout sentiment religieux. C'est à lui qu'incombe de savoir choisir le bon chemin.

Rêver que l'on est chassé d'une église signifie que l'on surmontera les difficultés et les moments difficiles. Il ne faut pas se décourager, la période noire passera rapidement.

Même si le rêveur suit apparemment les principes de sa religion, il y a en lui et dans son comportement quelque chose de faux. La religion est pour lui un facteur pratique, qu'il respecte parce qu'elle favorise ses intérêts, par opportunisme et pour en tirer des avantages personnels. Il y a mille manières de faire croire que l'on est religieux, aux autres comme à soi-même, alors qu'en réalité on ne l'est plus du tout, ou d'une manière très superficielle.

Rêver que des faits très étranges, ou même horribles, se produisent dans une église, est un signe de peine secrète à cause d'un rendez-vous manqué.

Le songe révèle un grave complexe de culpabilité. Les faits inexplicables qui provoquent la crainte du rêveur servent à l'admonester, et la conscience, bien peu tranquille, reflète l'espoir d'une intervention miraculeuse qui pourrait compenser le complexe de culpabilité par un désir d'amélioration et amener ainsi à un compromis.

ÉLÉPHANT : rêver que l'on voit un éléphant sur le seuil de sa propre habitation est un indice de victoire certaine. Le fait qu'il méprise la tradition et le patrimoine ancestral entraîne le rêveur vers la ruine. Sa personnalité et l'éducation reçue auront pourtant le dessus et il pourra y puiser les ressources nécessaires pour combattre et maîtriser les instincts négatifs qui menacent de le perdre.

EMBONPOINT : rêver que l'on a pris du poids (et même

de façon monstrueuse) est un signe de richesse. En général il s'agit d'un rêve typiquement féminin. Si la rêveuse est jeune, c'est un avertissement de sa conscience.

Un sort peu agréable lui est réservé car, éprise de luxe et de richesse, elle récoltera bientôt les fruits amers de son comportement. Si la rêveuse n'est plus tout à fait jeune, le songe reflète sa peur du temps qui passe, sa crainte de se transformer et de grossir comme l'être monstrueux du rêve.

EMBRASSER (ÉTREINDRE) : rêver qu'elle étreint un ami est pour une femme un signe de trahison sournoise.

La rêveuse devrait s'efforcer d'être plus féminine, plus douce, car son comportement à l'égard des autres ne correspond pas à sa personnalité. Elle doit laisser s'exprimer ses désirs secrets, ses faiblesses, ses peurs, sinon son attitude négative peut la conduire à un égoïsme sans limites et sans scrupules.

Si un homme rêve qu'il serre une femme dans ses bras, c'est un présage de naissance dans la famille.

Le rêve dont le sujet central est un homme qui étreint une femme ne peut être logiquement interprété que si l'on tient compte des rapports qui existent, dans la réalité, entre la personne rêvée et le rêveur. Si le songe n'est que la manifestation d'un désir concernant un rapport qui ne s'est encore jamais produit, il n'a pas de valeur symbolique.

Rêver que l'on étreint des animaux, peu importe leur genre, indique que le rêveur fera bientôt preuve de naïveté et de crédulité.

On déduit de ce rêve que le sujet porte en lui l'héritage d'un désir puéril.

Embrasser des personnes sans visage signifie que l'on rencontrera prochainement quelqu'un qui nous orientera vers un travail plus rentable.

Généralement, le songe reflète l'inquiétude et l'insatisfaction du rêveur ou de la rêveuse quant à leur situation actuelle, un désir d'évasion ou même le souhait de voir le caractère ou le comportement des personnes qu'ils fréquentent se modifier.

Parfois, il exprime seulement une aspiration à plus d'affection et de compréhension.

Etreindre en rêve des parents décédés est synonyme de chance et de grande protection.

La signification donnée par la cabale peut être acceptée, en notant cependant qu'il s'agit d'un désir et non d'un présage ou d'une explication onirique. Selon la psychologie moderne, le désir d'étreintes provenant des parents démontre l'incapacité du rêveur à dominer les événements; il ressemble à un enfant qui a besoin d'être protégé et guidé. Ce rêve est lié, dans la plupart des cas, à des états d'incertitude et de besoin particulièrement graves.

ENFANT : c'est un rêve généralement favorable. Rêver que l'on redevient enfant, et que l'on parle avec ses parents, est un signe de bonheur et de richesse.

Il faut préciser que, si le rêve reflète des situations réelles de l'enfance, c'est que le sujet n'est pas sûr de lui et qu'il désire être protégé et aidé. Si, au contraire, l'enfant n'a pas une apparence semblable à la réalité, c'est que le rêveur a négligé certains éléments importants de son existence, au profit d'autres qui sont en contradiction avec sa personnalité. Pour une femme, rêver qu'elle allaite un bébé annonce la chance dans les entreprises en cours.

Celle qui fait ce rêve nourrit un fort sentiment d'amour envers son prochain et a des idéaux très purs.

Rêver que l'on entend un nouveau-né parler correctement, au lieu de vagir, est un signe de bonnes nouvelles.

Une importante transformation est sur le point de se vérifier chez le rêveur. Si le discours du nourrisson est compréhensible, le songe indique que l'espoir et l'optimisme du sujet diminuent. Il a besoin de forces vitales fraîches et neuves. Rêver que l'on a entre les bras un enfant mort est un présage funeste.

Le rêve en lui-même a une signification grave. La méfiance, le pessimisme, l'apathie psychique qui dominent le sujet, ont été provoqués par des causes extérieures (comme des déceptions, des échecs financiers, des mauvais traitements, etc.). Il est donc nécessaire qu'il réagisse vigoureusement. Rêver que l'on redevient un jeune garçon ou une jeune fille avertit de prochains soucis sentimentaux.

Revenir en rêve à ses vertes années n'est pas une chose inquiétante. La nostalgie du temps passé, des années heureuses de la jeunesse, affecte la plupart d'entre nous, même ceux qui n'ont pas à se plaindre de leur situation actuelle.

ENFER : rêver que l'on est sur le seuil de l'enfer est un présage de litiges.

Habituellement, cette vision se présente à ceux qui sont sur le point de prendre des décisions importantes et leur sert d'avertissement. Parfois, lorsqu'un événement tragique a fortement influencé le rêveur, ce songe apparaît, trouvant un terrain fertile pour se développer.

ENTERREMENT (v. OBSÈQUES)

ÉPOUSE : rêver qu'il se marie est, pour un célibataire, le signe d'une richesse inattendue.

Rêver que l'on est marié, si la femme du rêve n'est pas sa propre épouse, est un indice de trahison.

Si la femme du rêve n'est pas l'épouse du sujet, cela signifie que ce dernier a voulu idéaliser sa compagne et que, ses espoirs ayant été déçus, il est insatisfait par sa vie affective.

ESCALIER : rêver que l'on monte un escalier est un présage de grands succès dans tous les domaines.

Le désir du rêveur d'atteindre une position sociale plus élevée que celle dont il jouit actuellement lui suggère cette expression onirique. Selon que les marches de l'escalier sont plus ou moins hautes et l'ascension plus ou moins pénible, le songe indique la force du désir du sujet.

Rêver que l'on descend un escalier annonce des ennuis et une perte d'argent.

Rêver que l'on descend un escalier peut indiquer une prédisposition au renoncement de la part du sujet. Il montre, en tout cas, une certaine incertitude de caractère. Il a besoin d'être aidé pour affronter des décisions qui, pour se révéler valables, doivent être en parfaite harmonie avec la raison et le sentiment. Pour une femme, ce rêve exprime qu'elle renonce à sa dignité de mère et d'épouse.

Rêver que l'on gravit un escalier en colimaçon est un signe de réussite lente mais sûre dans les affaires.

L'escalier en colimaçon symbolise le doute, souvent enfermé dans un cercle vicieux ; le rêveur ne sait pas s'il sera capable d'employer ses forces à des travaux plus productifs.

Rêver qu'il grimpe à une échelle est un signe de bonne récolte pour le paysan.

Rêver d'une échelle est symbole d'incertitude dans les décisions d'ordre sentimental.

Rêver que l'on monte un escalier et que l'on atteint le ciel indique la joie et l'allégresse.

C'est un songe rare et important car il révèle que le rêveur est en train de transformer radicalement son mode de vie. D'ordinaire, ce rêve appartient en propre aux individus qui ont une vocation religieuse ou artistique.

ÉTANG (v. MARÉCAGE)

ÉTÉ : rêver que l'on est en été et que l'on transpire à cause de la chaleur est symbole d'honneurs et de richesses abondantes.

Les fruits de l'activité psychique du rêveur vont bientôt être récoltés, même si, quelquefois, la peine qu'ils ont coûtée a pu paraître inutile et disproportionnée.

Si le rêveur est alité et a de la fièvre, la sensation de chaleur et de transpiration peut être une conséquence de son état.

ÉTOILE : rêver d'un ciel parsemé d'étoiles brillantes indique la réussite complète d'une affaire que l'on considérait comme impossible à mener à bien.

La vision d'un ciel étoilé est très spectaculaire : elle dénote chez le rêveur un esprit romantique, sujet à la mélancolie et un besoin dévorant de tendresse, de confiance et de chaleur humaine. Le rêve peut avoir une influence positive sur la personnalité du rêveur et augmenter sa clarté intellectuelle. Rêver que l'on voit briller une seule étoile sur la voûte céleste, mais de manière excessive, annonce la naissance d'un amour durable.

C'est le rêve classique qui devrait mettre le sujet en garde contre les illusions et les désirs irréalisables.

EXCRÉMENTS : rêver que l'on est souillé d'excréments non humains n'est pas de bon augure.

Le rêveur néglige gravement ses devoirs envers la société. Il ne s'agit pas d'un manque de sociabilité, de communicabilité, mais d'un esprit de classe marqué et d'un fort individualisme. Le subconscient, accusateur incorruptible, en dénonce la présence et l'offensive sournoise.

Rêver que l'on est souillé par ses propres excréments ou par des excréments d'autres personnes est un signe de chance et l'annonce d'un héritage.

Le rêve reflète la crainte qu'un banal incident ne révèle

quelque chose que le sujet voulait garder secret. Ce rêve est l'indice d'une pudeur excessive et d'une morale trop stricte héritée de l'enfance.

EXIL : rêver que l'on est en exil signifie tristesse et rupture d'amitié.

Le rêveur ne communique pas avec les autres, non par décision volontaire mais à cause d'une timidité morbide. Sa misanthropie est née, en plus de cette timidité, d'une soif d'évasion, de désirs d'aventures et d'expériences insatisfaits, d'une certaine nostalgie et de nombreuses illusions.

F

FAIM : rêver que l'on a faim est un indice d'efforts infructueux qui n'aboutiront pas.

Evidemment, le rêve ne peut avoir aucune valeur symbolique si on a réellement besoin de se nourrir et si les signes de la faim se manifestent aussi pendant le sommeil.

Dans les autres cas, le rêveur doit se tenir sur ses gardes car l'extrême pauvreté de son univers psychique a épuisé ses ressources et, désormais, il se retrouve à la merci d'instincts, d'impulsions et de désirs sans envergure.

Rêver que l'on apaise sa faim est un signe de grande prospérité pour la famille du rêveur.

Le sujet a vu augmenter ses capacités, ce qui lui permet de progresser de façon continue. Apaiser sa faim en rêve peut aussi représenter la satisfaction de désirs inavouables et, dans ce cas, le rêve se répétera fréquemment. Il devient alors opportun de consulter un médecin.

FAMINE : rêver que l'on traverse une période de famine, et que l'on en subit les conséquences, est synonyme de perte financière et de déceptions amoureuses. Le rêveur fréquente un milieu trop matérialiste et ressent un manque d'idéaux et de sentiments, qui ont constitué la base de son éducation. Ce rêve devrait lui servir d'avertissement car il signale son vide spirituel, situation qui deviendra rapidement insupportable.

FANFARE : entendre en rêve une fanfare, jouant divers genres de musique, signifie que l'on jouit d'une bonne santé ou que l'on guérira d'une maladie grave.

La vie du rêveur est bien équilibrée et se développe harmonieusement. Il doit pourtant éviter le plus possible que des éléments étrangers viennent la troubler.

FANTÔME : rêver que l'on voit un fantôme signifie joie, consolation et santé.

Le rêveur a besoin d'orienter son existence avec plus de fermeté. La direction qu'il doit prendre sur le plan professionnel lui est indiquée par le vêtement du fantôme, par ce qu'il représente symboliquement (par exemple : juge, médecin, cuisinier, cordonnier, coiffeur, etc.).

Rêver d'un fantôme qui reflète fidèlement les caractéristiques somatiques d'un défunt est un présage de vie longue et heureuse pour le rêveur.

Il ne faudrait pas croire que cette vision puisse avoir un rapport quelconque avec l'apparition, en rêve, de personnes décédées. Dans la plupart des cas, ce fantôme évoque un mauvais souvenir pour le rêveur. Un grave sentiment de haine l'envahit, presque toujours stimulé par la silhouette d'une personne bien vivante. Lorsque le fantôme apparaît vêtu du drap "classique" des films d'épouvante, c'est que le rêveur ne veut absolument pas savoir qui il est parce qu'il craint ses reproches.

FAUNE : rêver que l'on voit un faune dans un bois signifie que l'on recevra de mauvais conseils ainsi qu'une fausse protection.

Le rêveur est un idéaliste capable de sentiments passionnés et d'instincts sauvages et primitifs. Il fera bien de chercher à harmoniser ses forces, sans pourtant céder à une solution de compromis.

FAUVE : les animaux féroces représentent toujours les ennemis du rêveur ; c'est pourquoi il vaut mieux rêver qu'on
les met hors de combat, plutôt que de se voir terrassé par
eux. Rêver que l'on est attaqué par un fauve signifie généralement que l'on devra se méfier des manœuvres d'un rival.
Il s'agit d'un rêve effrayant qui provoque habituellement le
réveil du sujet et laisse en lui un sentiment d'angoisse.

FAUX : rêver d'une faux annonce des ennuis pour les six
mois qui suivent la vision.
Le rêveur ne néglige pas les idées, les sentiments, les instincts les plus simples et les plus naturels qui représentent
pour lui la vraie richesse. Ce qui, aujourd'hui, peut lui
sembler incompréhensible deviendra demain tout à fait clair.

FEMME : si un homme rêve qu'il a une femme près de lui,
il a ainsi la révélation d'une maladie dangereuse ; si c'est une
femme qui a cette vision onirique, c'est le présage de la naissance d'un garçon qui fera honneur à la famille.
Le rêveur n'est pas insensible au charme féminin. Mais, ce
qui l'intéresse, c'est surtout la beauté et la grâce du visage
et du corps.
Rêver d'une femme qui se trouve dans une attitude mena-
çante, surtout si le sujet est également une femme, annonce
des discussions et des désagréments.
La rêveuse devrait être plus douce et plus féminine car le
comportement masculin qu'elle adopte ne correspond pas
à sa vraie personnalité.
Rêver d'une femme qui ressemble à sa mère est synonyme
d'amour et de fiançailles. Le sentiment que le rêveur porte
en lui, sentiment d'amour à l'égard de sa mère, se reflète
dans ce rêve. Il a absolument besoin de l'aide maternelle
et n'en conçoit nulle honte, tant à l'état de veille que pendant le sommeil.

FENÊTRE : rêver que l'on ouvre une fenêtre est un signe de réussite facile dans les affaires.

La fenêtre représente pour le rêveur le désir de connaître le futur, de voir ses aspirations se réaliser. Cependant, lorsqu'il ressent le désir de se placer devant une fenêtre ouverte, il éprouve au même moment une certaine crainte : le rêve reflète ses incertitudes et les conséquences d'une action déterminée qu'il a en vain tenue secrète. La fenêtre ouverte indique en outre une excessive timidité et une tendance à s'alarmer trop facilement.

FER : rêver que l'on trouve un fer à cheval est un signe de voyage sûr et heureux.

Le rêveur a honte des traditions qu'il porte en lui et auxquelles il a, jusqu'ici, obéi. Il les dissimule sous des attitudes de type intellectuel qui n'ont guère de valeur. Sa vraie nature se situe dans le bon sens et dans la sagesse, éléments qui lui seront finalement d'un grand secours dans les décisions et les orientations importantes de son existence. Rêver que l'on bat sur une enclume un fer incandescent ne promet rien de bon : le rêveur aura des ennuis et des procès. Le sujet assume un comportement qui est la conséquence d'un remords obsédant, remords qui se manifeste sous forme de mécontentement, de mélancolie, d'embarras.

FEU : allumer un grand feu est le présage d'un événement important.

Une forte personnalité, une éducation parfaite et une profonde culture ont donné au rêveur la possibilité d'influencer et de fasciner les autres. Tout cela entraîne généralement l'apparition du désir, aussi sot qu'inutile, d'être toujours le meilleur, à tout prix et en toute occasion.

Rêver que l'on allume un petit feu est un signe de petite joie et de richesse convenable.

Le rêveur exprime son besoin de chaleur humaine et de tendresse, ce qui n'exclut pas la possibilité d'un désir de vengeance ainsi qu'une forte tendance au sadisme, soigneusement cachés dans le subconscient.

Voir en rêve un feu ardent signale la présence d'ennemis dangereux.

La raison du rêveur s'abaisse à des compromis (en particulier d'ordre passionnel) et ne s'aperçoit pas que ce comportement erroné menace la conscience, qui pourrait facilement succomber.

Se voir brûler en rêve est un signe de fièvre et de maladie violente.

Le rêveur a un caractère solide, une attitude énergique et dictatoriale. Il veut surmonter tous les obstacles qui se présenteront devant lui ; le désir d'atteindre le but qu'il s'est fixé le stimule à tout instant.

FEUILLE : rêver que l'on voit des feuilles vertes sur des arbres est un signe d'espérance.

Les tendances primaires et les instincts du rêveur demandent à être satisfaits ; la raison doit cependant garder le contrôle de la situation. Pour différentes raisons, et souvent même à cause d'une mauvaise éducation, le développement naturel du sujet s'altère et provoque des conflits et des déséquilibres psychiques.

Rêver que l'on voit des feuilles mortes tomber des arbres est un présage de malheur et de deuil.

Le rêveur a besoin d'une période de repos spirituel et matériel pendant laquelle il pourra renouveler ses forces. Dans le cas contraire, l'harmonie actuelle se transformerait en condescendance paresseuse qui pourrait conduire le sujet à la solitude morale la plus complète.

FIL : rêver que l'on a entre les mains du fil emmêlé indique de difficiles efforts pour échapper à une période de crise. Si le fil venait à se briser, le songe prendrait une signification néfaste.

Le rêveur ne sait pas distinguer ce qui est bien de ce qui est mal. Il est en proie à un trouble qui échappe à tout contrôle de la raison et de la volonté.

Il lui faudra rassembler toutes ses forces pour pouvoir retrouver des conditions d'équilibre plus stable.

FILET : rêver que l'on est pris dans un filet annonce un changement de situation.

Se débattre dans un filet exprime pour le rêveur le désir de sortir d'une situation, d'échapper à une habitude ou à un vice. Il porte en lui la peur de perdre ce qu'il a obtenu au prix de gros efforts et craint de ne pouvoir remédier à une erreur, à une bévue ou à une imprudence.

FILS (et FILLE) : voir en rêve ses propres enfants n'est pas favorable ; ce songe cause des troubles et prédit que l'on manquera du nécessaire pour les élever et les éduquer.

Rêver de ses propres enfants, tels qu'ils se trouvent dans la réalité n'a pas de valeur symbolique ; le rêve représente la situation de la journée passée, avec les soucis et les pensées qui l'accompagnent inévitablement.

Rêver que son fils redevient un bébé annonce une période de bien-être.

Le rêveur se souvient de l'enfance de son fils, de la simplicité, de la pureté et de la sérénité qui caractérisent cette période de la vie ; il voudrait que son fils conserve, à l'âge adulte, ces qualités et ne soit pas exposé aux difficultés de l'existence, à la cruauté des hommes ou à leur indifférence.

Rêver que l'on a des enfants n'est favorable à personne car ce rêve annonce la discorde en famille.

Si le sujet est une femme sans enfants, le songe trahit un

trouble causé par l'absence de maternité ; si au contraire la femme a des enfants, il s'agit d'embarras et d'angoisse relatifs à une maternité non désirée. Si c'est un homme qui fait ce rêve, il est le reflet d'une nouvelle idée, d'une création qui lui tient à cœur dans le domaine professionnel et qui se réalisera prochainement.

FLAMME (v. FEU)

FLATTERIE : rêver que l'on est flatté par un ami signifie que l'on nourrit des espérances trompeuses et mal fondées. Le rêveur se fie trop facilement aux paroles trompeuses de faux amis. Le songe est prémonitoire, il conseille d'être très prudent ; dans tous les cas, il invite à se méfier et à se mettre à l'abri tant qu'il en est encore temps.
Rêver que l'on flatte des personnes inconnues signifie que l'on pourra atteindre la fortune par des moyens peu orthodoxes. Mais cette fortune facile sera de courte durée et échappera bientôt au rêveur.
C'est généralement le songe de ceux qui recourent très souvent à des bassesses pour obtenir bénéfices et privilèges. Si c'est une femme qui rêve, on en déduit qu'elle est esclave de ses instincts, incapable de se contrôler, privée d'inhibitions et portée à accaparer ce qui lui plaît.

FLÈCHE : être frappé par des flèches veut dire que l'on devra résoudre des problèmes financiers et apaiser entre parents les disputes qui en seront la conséquence.
Le rêveur doit prendre une décision difficile qui ne concerne que lui car elle est liée à l'agressivité de ses instincts, lesquels peuvent révéler un simple désir, mais aussi une tendance au sadisme.

FLEUR : rêver de fleurs, quels qu'en soient le genre et la couleur, est synonyme d'avantages particuliers concernant la situation financière du sujet. Dans l'Antiquité, chaque fleur correspondait à un symbole et donnait lieu à une interprétation occulte.

Le rêveur traverse actuellement une période de calme. Une harmonie parfaite l'amène à d'heureux progrès.

FLEUVE : rêver d'un fleuve aux eaux limpides est un bon présage pour ceux qui s'apprêtent à entreprendre un voyage. Si les eaux du fleuve sont troubles et agitées, le voyage sera parsemé de petites difficultés ; au cas où le rêveur ne devrait entreprendre aucun voyage, le songe refléterait une hostilité dans le domaine professionnel.

Le fleuve représente le cours de la vie intérieure du sujet. A la naissance, l'homme est riche de forces vives et, si sa vie est orientée vers des activités honnêtes, il en retirera maintes satisfactions ; si au contraire ses occupations ne requièrent ni enthousiasme ni initiatives, comme c'est le cas lorsque le rêve montre un fleuve pollué par des déchets, sa vie sera triste, assombrie par des regrets inutiles.

Selon Artémidore, celui qui rêve d'un fleuve limoneux aura des inconvénients ; s'il rêve qu'il y nage, les inconvénients seront atténués. Rêver que l'on atteint la rive à la nage est de bon augure : cela signifie que l'on a pu surmonter avec bonheur tous les obstacles.

Le rêveur est un paresseux qui se laisse ballotter par le cours des choses sans prendre d'initiatives, tel un enfant qui s'en remet aux décisions maternelles.

Même dans le travail, il a une attitude passive, indifférente et désagréable.

Cette grande pauvreté psychologique est signalée par le rêve afin qu'il y remédie rapidement par des initiatives énergiques.

FONTAINE : rêver d'une fontaine aux eaux claires, qui jaillissent d'une grande bouche, est un signe de richesse. Une difficulté, étudiée à diverses reprises pendant la journée, a été résolue pendant la nuit. Une sensation étouffée depuis longtemps se réveille et alerte le subconscient, afin que la vie du rêveur reprenne à l'endroit où elle a été brisée.

Lorsque les eaux de la fontaine sont abondantes, le songe prédit que tous les membres de la famille du rêveur auront santé et richesse.

Il y a dans le subconscient du rêveur des forces bénéfiques encore inconnues et inexplorées. S'il sait les exploiter de façon intelligente, il en tirera de grands avantages ; si au contraire, à cause d'un malentendu, il réprime ces énergies, il ne lui restera plus qu'à reconstruire ce qu'il aura détruit.

Rêver que l'on voit jaillir une fontaine qui était sans activité depuis longtemps est un signe de chance.

Le rêveur manque d'équilibre et, pour pallier cet inconvénient, il s'abandonne à des excès, renonçant aux forces rationnelles pour donner libre cours à ses instincts.

FORÊT : rêver que l'on se promène dans une forêt luxuriante et fraîche signifie que les affaires progresseront bien.

L'harmonie du rêveur, tant dans le domaine sentimental qu'en ce qui concerne les questions financières, naît de la collaboration de ses instincts et de ses sentiments dirigés par l'intelligence et la volonté. .

Rêver que l'on se perd dans une forêt est symbole de discussions inutiles.

Le rêveur se laisse dominer par les impulsions négatives de son subconscient.

Sa légèreté provient de son aridité d'esprit, dont il est l'esclave et qui l'amènera à la solitude la plus complète.

Rêver que l'on rencontre des êtres humains ou des animaux étranges dans une forêt est un signe de fatigue inutile.

L'égoïsme et l'orgueil poussent le rêveur à ignorer son

prochain, à le mépriser, à l'exploiter à son avantage, sans tenir compte de ses droits. Il faut souhaiter qu'une intervention de la raison remette le sujet sur le droit chemin avant qu'il ne soit trop tard.

FORGERON : rêver que l'on est un forgeron, et que l'on bat le fer, conseille plus de prudence en amour.
La vie du rêveur, bien que compliquée par les conditions modernes d'existence, est assez simple. Elle n'est pas influencée ou dirigée par des complexes, mais par des forces positives qui déterminent les caractéristiques de sa personnalité.

FOSSÉ : rêver que l'on saute par-dessus un fossé qui barrait le chemin signifie que l'on évite un piège.
Le rêveur dévoile sa faiblesse et confesse son scepticisme quant à ses possibilités de garder l'affection de la femme qu'il aime ; il justifie son pessimisme en affirmant que toutes les femmes ont une tendance à l'infidélité.

FOU : rêver que l'on est fou est généralement de bon augure. Le rêveur mènera à bien les entreprises en cours.
Si le rêve devait se répéter fréquemment et être accompagné d'une grande angoisse, il serait bon de consulter un médecin car la répétition pourrait être le symptôme d'un déséquilibre nerveux imminent.

FOUDRE : rêver de voir tomber la foudre pendant un orage est un symbole de douleur, de maladie et de perte de biens. La vie actuelle du rêveur est sous l'emprise d'une impulsion émotive qui peut être bénéfique, mais qui risque aussi de provoquer des déséquilibres sentimentaux. Dans ce cas, le rêveur devra changer son rythme ou son genre de vie.
Rêver que l'on reçoit un coup de foudre est un présage de grosse victoire au jeu.

Le rêveur se sent menacé par des désirs de vengeance et est assailli par la crainte de devoir affronter une entreprise dont il sait qu'il ne pourra la mener à bien avec honnêteté.

FOULE : rêver que l'on se trouve parmi la foule est un signe de colère et de litige.
Le sujet avoue ouvertement son incapacité à dominer les événements car il est en proie à la panique et à la faiblesse. C'est un rêve que font souvent les timides, lesquels manifestent ainsi leur désir de s'imposer ; ils voudraient émerger de la masse, mais le songe exprime leur incapacité.
Ce rêve est aussi le symbole d'un fort désir de sympathie et de notoriété, dissimulé derrière la peur de ne pas réussir.

FOURMI : rêver que l'on voit des fourmis, dans sa maison ou sur sa route, annonce l'abondance procurée par le travail. Un déséquilibre du système nerveux est sur le point de se produire chez le rêveur. Le rythme de son travail l'a terriblement fatigué et une période de relâchement et de distraction lui est absolument nécessaire. On ne doit pas exclure la possibilité d'un traitement médical pour éviter que l'état de santé ne se détériore davantage.

FOYER (v. FEU)

FROMAGE : rêver que l'on mange n'importe quel fromage est un signe de gain et de profit.
Lorsque le rêve ne dépend d'aucune cause physique (il est bien souvent provoqué par la faim ou par une indigestion causée par du fromage précisément) il reflète un désir inassouvi qui rend le rêveur esclave.

FROMENT : rêver de froment est, pour le riche, symbole de richesse et, pour le pauvre, présage de perte de liberté.

Le rêveur a l'impression que son activité a été inutile et infructueuse, mais il sait qu'il lui faut patienter, qu'un jour ou l'autre il aura de grandes satisfactions et pourra jouir du fruit de son travail. Il sait aussi que le produit de son activité sera plus important s'il ne le garde pas pour lui seul.

FRUITS : rêver de fruits est un signe d'abondance s'il s'agit de fruits de saison; de mésaventure dans le cas contraire. La richesse du rêveur est représentée par le sentiment. Il a une sensibilité raffinée, un monde affectif très riche, il sait reconnaître le beau et le bon, apprécier et aimer la vie. Ses exigences sont fondées et il perçoit l'harmonie jusque dans les plus petites choses.

FUIR : rêver que l'on fuit quelqu'un, un être humain ou un animal, est favorable à l'amitié et aux relations.
Le rêveur est enclin à réaliser ses aspirations à travers les voies tortueuses de l'inconscient. Son désir d'évasion qui se manifeste dans le songe réside en un conflit important entre ses désirs (impossibles à réaliser) et les exigences du milieu où il vit.

FUMIER : rêver que l'on est couvert de fumier signifie que l'on tirera profit de son travail.
Le rêveur éprouve la crainte qu'un incident ne dévoile ce qu'il désire garder secret. En général, le rêve indique aussi une tendance très discutable ou une faiblesse non contrôlée (par les sentiments ou la raison).
Rêver que l'on dort ou qu'on se roule dans le fumier annonce au pauvre de grandes chances d'augmenter ses biens ; au riche, la misère et l'humiliation.
Le songe est le symptôme d'une pudeur excessive, surtout s'il se répète assez fréquemment. Il s'agit naturellement d'un héritage de l'enfance causé par une mauvaise éducation.

Celui qui rêvera d'être couvert de fumier par des amis ou des parents se disputera avec eux et sera outragé.

La personnalité du rêveur est étouffée par la timidité et la faiblesse, fruits d'une pudeur exagérée et d'une auto-censure impitoyable ; il pourra cependant y échapper par les voies les plus imprévues.

Rêver qu'un inconnu vous lance des pelletées de fumier au visage indique de grandes pertes au jeu.

Le rêve détermine les caractéristiques de la personnalité du rêveur qui, libéré de tout obstacle d'ordre moral, cède à toutes les exigences passionnelles que condamne son éducation et s'oppose à toute règle de restriction.

FUNÉRAILLES (v. OBSÈQUES)

G

GANTS : rêver que l'on porte des gants est symbole de plaisir et de satisfaction.

Une femme qui rêve qu'elle porte des gants est habituellement tourmentée par le souci de cacher ses défauts, vrais ou présumés. Pour les hommes, le rêve indique la crainte qu'une relation soit découverte ou qu'une entreprise puisse avoir une conclusion négative. Généralement, tant chez l'homme que chez la femme, le songe démontre que le sujet souffre d'un complexe d'infériorité.

GARE (v. TRAIN)

GÂTEAU : manger des gâteaux en rêve signifie que l'on aura bientôt des nouvelles de personnes chères.

Les gâteaux représentent l'activité affective du rêveur. Il tente inutilement de dissimuler ce qu'il considère comme une faiblesse en se faisant passer pour un individu calculateur et rationaliste. Il serait préférable qu'il évite ces attitudes néfastes et qu'il se comporte d'une façon plus pratique et moins ridicule.

Rêver que l'on mange des gâteaux en cachette, ou qu'on les dérobe, signifie que l'on recevra de la fausse monnaie.

Le rêveur veut à tout prix se forger une personnalité qui ne lui convient pas.

C'est une dépense d'énergie inutile car il risque, ce faisant, d'étouffer ses sentiments qui sont la meilleure part de lui-même.

GÉANT : rêver qu'un géant se trouve sur le seuil de sa maison indique la fortune et la victoire sur un adversaire. Le rêveur a reçu une impression défavorable pendant la journée, à cause d'une visite imprévue et désagréable. Il craint que cela ne se reproduise et la présence onirique du géant reflète sa peur d'être traité de manière peu compréhensive.
Rêver d'être poursuivi par un géant est un signe d'ambition réalisée.
La vision indique que le rêveur n'a pas la conscience tranquille ; le souvenir d'un conte pour enfants l'invite à revenir dans le droit chemin.

GENDARME : rêver que l'on est arrêté par un gendarme est un présage de danger et de déshonneur.
Le rêveur est un anticonformiste, par réaction à son milieu. Il se rebelle, non contre la société, mais contre certaines règles qui lui sont imposées et contre la mentalité propre à une certaine classe sociale. Cette attitude, en grande partie positive, est considérée comme nuisible par son entourage.

GLACE (v. aussi NEIGE) : rêver que l'on marche sur la glace et que l'on perd l'équilibre est symbole de peine et de renversement de fortune. Si le rêve a lieu en hiver, il n'a pas de signification particulière ; pendant les autres saisons, il annonce à l'homme d'affaires des pertes considérables et un échec ; pour les militaires, il signifie que leurs plans seront bouleversés ; pour les autres, en général, il prédit une absence d'enthousiasme et un éventuel changement qui n'engendrera aucun plaisir.

Le rêveur, sans distinction de profession ou de saison, révèle par ce songe une grande nostalgie de son enfance, un désir de sérénité et une tendance au romantisme. Les impressions personnelles sont traduites par la couleur de la neige ou de la glace. Ce rêve reflète, chez la femme, la crainte de perdre ou d'avoir perdu sa pureté.

GRÊLE (v. OURAGAN)

GRENOUILLE : rêver d'une grenouille annonce des indiscrétions de la part d'amis.
La vie du rêveur, guidée par la voix de la conscience et par une personnalité droite et précise, se déroule calmement, sans difficultés, d'une manière positive excluant tout déséquilibre.

GRIFFE : rêver que l'on est saisi par les griffes d'un rapace ou d'un animal féroce invite à se tenir sur ses gardes, aussi bien avec les amis que les ennemis.
Le rêveur est un introverti qui aime étudier dans le but de découvrir la différence existant entre sa façon de penser et sa façon d'agir. Il a trop tendance à fouiller en lui-même et à se tourmenter pour le moindre problème.

GROSSESSE : si une femme rêve qu'elle est enceinte, c'est un signe de chance pour sa vie future.
Il s'agit d'un rêve typiquement féminin, fort fréquent, et qui exprime dans la plupart des cas une crainte concernant les rapports sexuels et un désir de maternité. Il peut aussi traduire l'aspiration au mariage et à une existence tranquille, si bien que cette vision onirique est considérée comme le songe classique des jeunes filles avides de fonder un foyer.

GROTTE : rêver que l'on se trouve dans une grotte est un signe d'abandon de la part d'un ami.

L'homme a une tendance marquée à fuir les difficultés de l'existence et à se réfugier dans des lieux qui symbolisent le sein maternel. Il cherche la compréhension de ses semblables mais craint d'être repoussé et se rassure en revenant à une époque sans problèmes ni soucis d'aucune sorte : celle de la vie prénatale (la grotte est précisément l'une des représentations oniriques du sein maternel).

GUÊPE : rêver que l'on est piqué par une ou plusieurs guêpes signale la présence d'ennemis redoutables et annonce des ennuis et des chagrins.

Le rêveur se trouve dans une période de confusion intérieure causée par un conflit entre forces positives et négatives. Il doit se contrôler et faire preuve de bon sens pour ne pas étouffer et réprimer ses meilleures tendances.

GUERRE : rêver que la guerre fait rage est une vision funeste qui annonce des ruptures familiales et, en particulier pour une femme, une rupture avec l'entourage immédiat.

Pour certains, ce rêve est un souvenir très vivant, même s'il est lointain, d'une période de guerre, avec les émotions et les terreurs inévitables qu'elle implique. Pour d'autres, le songe est l'indice d'un moment psychologique très difficile où la conscience lutte contre les passions et les instincts, lesquels se montrent particulièrement agressifs. Chez une femme, cette vision traduit très souvent la peur de voir son bonheur détruit. Si le rêve exprime une situation réellement vécue, il indique que le sujet se trouve dans les mêmes dispositions psychologiques que par le passé. Si le cauchemar se reproduit, il annonce une prochaine dépression psychique du rêveur.

H

HABITATION : il existe plusieurs interprétations de ce rêve. Elles reflètent en général la vie du sujet. Rêver que l'on habite dans une vieille maison aux murs décrépis et encombrée de vieux meubles, annonce que de nouvelles initiatives peuvent être prises en toute sérénité.

Le rêveur a besoin de se renouveler, de se détacher d'un passé duquel il ne conserve que des préjugés. Il doit nécessairement changer, même si sa peur des grands principes et des grands sentiments freine sa progression.

Rêver que l'on habite dans une maison moderne, meublée au goût du jour, prédit un avancement et un gain d'autorité dans le domaine professionnel.

Le sujet a accumulé les succès tant professionnels que sentimentaux. Mais il n'en demeure pas moins un individu froid et calculateur. Les choses qu'il accomplira seront grandes mais sans âme, harmonieuses et' équilibrées, mais sans chaleur. Ce rêve, s'il se répète, doit l'inviter à revenir aux grandes valeurs de l'existence.

HABITS (v. VÊTEMENTS)

HACHE : celui qui rêve qu'il se sert d'une hache devra user de prudence pour éviter un grave danger.

Il y a de fortes chances pour que le rêveur ait atteint un

tournant important de son existence. Il doit prendre une décision qui pourra influencer le restant de ses jours. Cette décision est toutefois rendue nécessaire par des causes extérieures, par une situation qui s'est créée contre la volonté du rêveur. Il sera donc contraint à trancher rapidement, sans avoir le temps de méditer son option.

Se servir d'une hache pour abattre des arbres est un indice de progression continue du bien-être.

La tranquillité intérieure, ainsi que l'aisance matérielle obtenue par le travail, sont les pivots autour desquels s'organise la vie du rêveur. Cette situation positive se prolonge sans produire de déséquilibre.

Rêver que l'on manie une hache dans le but d'abattre quelque chose est un présage d'inimitié et de calomnie.

Le présage du rêve est dicté par une situation psychique qui a créé chez le rêveur un état d'angoisse et de peur. Pour les hommes, il peut s'agir d'une tendance au sadisme, pour les femmes d'un désir mitigé de crainte.

HARPE : rêver que l'on joue de la harpe, que l'on en tire une douce mélodie, est synonyme de chance et d'ambitions réalisées.

Le rêveur doit savoir que la vision ne se réfère qu'à son univers sentimental et émotif. Il a tendance à s'isoler, à ne pas participer à l'œuvre commune, tout en jouissant des avantages de la vie en société. Cette attitude passive, si elle se prolonge, se révélera nuisible pour le sujet.

HARPIE : rêver d'une harpie constitue un avertissement. On doit surveiller ses biens matériels. Voleurs et cambrioleurs les menacent.

Le sujet qui rêve d'une harpie (être d'origine mythologique au corps d'oiseau et au visage de femme) démontre ainsi que sa vie intérieure court un grave danger, car des forces bru-

tales et inconscientes étouffent les élans nobles de sa personnalité. Le songe est probablement déterminé par un état
d'angoisse et de peur.

Rêver que l'on tue une harpie est un signe de victoire au jeu.
La conscience du rêveur s'est enfin libérée de ses préjugés
(ou de ses passions irrationnelles) et a atteint la maturité.

HERBE : rêver d'un pré verdoyant signifie que l'on fera
la fortune des autres avec ses propres idées.

Rêver d'herbe, symbole de féminité, indique que la rêveuse
est envahie d'une douce mélancolie. La sensation d'être
allongé sur l'herbe, de la toucher, de la sentir, d'y plonger
son visage dénonce un gaspillage d'énergie ; elle signifie
que l'on se rend esclave du conformisme et que l'on réprime
ses élans spontanés.

HÉRITAGE : rêver que l'on reçoit un héritage est signe de
perte d'argent et de misère.

Le rêveur possède d'excellentes qualités mais il ne sait pas
les utiliser, tourmenté qu'il est par sa timidité, sa faiblesse
et son manque d'assurance. Il doit avoir confiance en lui s'il
veut donner un nouvel essor à sa personnalité.

HOMICIDE : rêver que l'on commet un homicide révèle un
danger de mort pour le sujet.

En rêve, l'homicide est rarement provoqué par la haine.
Dans la plupart des cas, l'acte consistant à tuer quelqu'un
est accompli à regret ; il ne s'agit pas de supprimer une
personne mais de détruire symboliquement un trait de
caractère, un aspect du comportement de cette personne que
le rêveur juge négatif ou qui, simplement, lui déplaît.

Rêver que l'on voit commettre un homicide par d'autres
personnes est un présage heureux pour les affaires en cours :
elles trouveront rapidement une solution.

Le rêveur est timide et complexé. S'il craint quelqu'un, il le supprime... par personnes interposées ! Si une situation le met dans l'embarras, il la résout... en se faisant aider par les autres ! La vision onirique est le miroir évident de la personnalité du rêveur, complexé jusqu'à l'invraisemblable et incapable d'initiative.

HOMME : si une femme rêve d'un homme qui manifeste à son égard un comportement affectueux, le rêve indique que son désir de protection sera réalisé.

L'image de l'homme n'a, en elle-même, aucune signification particulière. Seule l'apparence et le comportement servent à l'interprétation. Il est rare qu'un homme rêve d'un autre homme, à moins que le rêveur n'ait eu, avec le personnage du songe, une discussion ou une altercation pendant la journée. Dans ce cas, évidemment, le rêve n'a pas de valeur symbolique. Si c'est une femme qui rêve, il s'agit rarement de l'expression d'un désir sexuel. Bien souvent le songe trahit un complexe d'infériorité ou d'envie ainsi que l'insatisfaction et la rivalité à l'égard d'amies et de personnes connues.

Rêver d'un homme inconnu habillé de façon banale est un présage d'aventures faciles.

Le rêveur est d'un tempérament paresseux, incapable d'initiatives et d'élans généreux ; il aime avant toute chose son confort, même aux dépens des autres.

Rêver d'hommes réunis en cortège signifie que l'on affrontera une entreprise téméraire.

C'est le rêve typique de ceux qui luttent pour un idéal social ; il révèle fréquemment que le sujet a des dons de commandement et sait entraîner les foules par son éloquence.

HÔPITAL : rêver que l'on est seul dans un hôpital indique une maladie proche.

Ce rêve exprime la peur d'une maladie, même sans gravité. Les préoccupations qui en découlent donnent lieu à un sentiment d'angoisse qui peut être extrêmement préjudiciable à la santé du rêveur. Si c'est une femme qui rêve, elle manifeste sa crainte d'une grossesse difficile.

Rêver que l'on se trouve dans un hôpital, entouré de nombreux autres malades, est un signe de danger mortel.

Le sujet est en pleine crise. Sa conscience est bouleversée et troublée par des éléments antagonistes ; ce déséquilibre provoque une fatigue et une angoisse nuisibles pour sa santé.

HORLOGE : rêver que l'on possède une horloge ou une montre signifie que l'on devra résoudre une affaire importante.

En général, les horloges indiquent le mouvement, la précision et l'action ; le rêve n'est pas favorable à la solution rapide des affaires en cours. Le sujet traverse une période importante de sa vie qui lui imposera des changements radicaux et précis.

Voir une horloge tomber et se briser est, surtout pour les malades, un présage de souffrance.

Lorsque la personnalité du rêveur est essentiellement caractérisée par la paresse, la situation d'apathie pourra être corrigée grâce à l'intervention de la raison et de la volonté. Rêver que l'on regarde l'heure au cadran d'une horloge est un signe de bonne santé.

Le rêveur est un rationnel ; il doit donner plus de liberté à ses impulsions subconscientes, au lieu de les étouffer.

HOROSCOPE : rêver de son propre horoscope signifie que l'on a de grandes chances de gagner beaucoup d'argent au jeu.

Il s'agit d'un rêve plutôt féminin, les femmes accordant plus d'importance que les hommes aux horoscopes et se laissant plus facilement impressionner par leurs prévisions, lesquelles ne peuvent être prises, même avec une bonne dose d'optimisme, pour des prophéties.

HÔTEL : si le rêve représente le lieu où l'on habite, il est dépourvu de valeur symbolique ; si, au contraire, il reflète des lieux inconnus et se déroule dans un hôtel pauvre et mal meublé, il annonce des nouvelles ainsi qu'une aide importante capable de changer positivement le cours de l'existence.
Le rêveur a peu de personnalité et se laisse guider plus par les événements que par la raison. Le songe attire justement son attention sur son incertitude et son anxiété.
Rêver d'un hôtel où circulent des clients inconnus et sans visage conseille de prêter plus d'attention à ceux qui nous entourent, particulièrement dans le travail.
Le sujet fait preuve de peu de compréhension à l'égard des autres. Il devra approfondir ses connaissances et les juger selon leur juste valeur et non selon leur apparence.

HÔTELIER ou HÔTELIÈRE : rêver de voir un hôtelier ou une hôtelière dans l'exercice de leurs fonctions, et de parler avec eux, annonce un long voyage probable. Le rêveur a une peur injustifiée de ses actions instinctives et naturelles, convaincu qu'il est que toute impulsion est nécessairement mauvaise et doit être réprimée. Victime de cette idée fausse, il risque de limiter ses capacités, alors qu'en les orientant intelligemment il pourrait disposer d'une grande force.
Rêver qu'un hôtelier ou une hôtelière se comportent de façon étrange, et que leurs actions sont émaillées de manifestations prodigieuses, signifie que les entreprises en cours donneront des résultats médiocres, fort éloignés des grands espoirs qu'elles avaient suscités.
L'équilibre sensitif du rêveur est ébranlé ; il subit actuellement la domination de ses sens, passant par des états d'angoisse et des craintes injustifiées.

Il peut encore porter remède à cette situation, en reprenant les rênes de sa personnalité. Dans le cas contraire, sa santé psychique pourrait être définitivement compromise.

HUILE : rêver que l'on voit de l'huile répandue est signe de perte de biens et de préjudices considérables.

Il se peut que le rêve reflète un souvenir déplaisant relatif à la journée écoulée. Dans les autres cas, il signifie que le rêveur a besoin de se protéger de ses propres actions.

Rêver que l'on recueille de l'huile dans un récipient est un présage de chance et de bonheur.

Le rêveur commence maintenant à se rendre compte que la vie vaut la peine d'être vécue et qu'il convient de quitter son isolement ainsi que certaines attitudes distantes.

IDOLE : rêver d'une idole est un présage de malheur.
Ce rêve dénote chez le sujet un complexe d'infériorité et une timidité excessive. Les idoles, perçues en rêve comme des êtres monstrueux, sont un souvenir de lectures enfantines et représentent quelqu'un ou quelque chose que le sujet tient en grande considération. Un sentiment de grand respect envers ses propres parents n'est pas étranger à cette vision.

ÎLE : rêver que l'on est abandonné sur une île est un signe de solitude.
Le rêveur éprouve un désir d'évasion ; ses envies de voyages, d'aventures et d'expériences nouvelles sont demeurées insatisfaites. Si le rêveur est jeune, le songe traduit souvent un désir sexuel inassouvi. Lorsque le sujet se voit abandonné sur une île déserte, sans vêtements, tenaillé par une grande angoisse, le songe reflète la timidité, la solitude.

IMMEUBLE (v. PALAIS)

INCENDIE (v. FEU)

INONDATION : rêver que sa maison est inondée par une eau chargée de détritus de toutes sortes révèle des discordes familiales et des ennuis.

Le rêveur est d'un tempérament apathique et assiste avec indifférence à la défaite de sa volonté vaincue par les passions. Il manque de personnalité et de contrôle de soi.

Si l'inondation est le fait d'eaux limpides et non tumultueuses, elle annonce l'acquisition de biens moraux.

Le rêveur a perdu trop de temps en actes inutiles et même nuisibles. Il doit renoncer à ses passions, à ses sentiments dispersés et à certaines habitudes commodes pour commencer patiemment la reconstruction de sa personnalité.

INSECTES : rêver que l'on est couvert d'insectes n'est pas un songe favorable : il annonce des soucis et des ennuis.

Le rêveur craint les jugements que ses semblables prononcent derrière son dos et il oriente sa vie en fonction de cette crainte. Chez les femmes, le rêve symbolise les ennuis d'ordre sentimental ; les insectes voraces qui attaquent directement la rêveuse représentent les personnes qu'elle ne parvient pas à dominer, sinon en les considérant comme moins intelligentes et moins capables qu'elle. Il s'agit d'un rêve plutôt féminin.

IVROGNE : rêver que l'on voit un ivrogne est un présage d'augmentation de fortune.

Le rêveur est insatisfait de sa situation actuelle. Il désire s'évader de la vie quotidienne et sait dissimuler avec habileté ses tendances à des plaisirs inavouables.

Rêver que l'on est ivre marque une altération psychique momentanée.

Le rêve reflète généralement l'état de santé du sujet après l'administration de certains médicaments. Quelquefois, il est la conséquence d'une fatigue provoquée par un travail excessif.

JALOUSIE : rêver que l'on est jaloux est un signe de tourment continuel et d'incompréhension avec les personnes aimées.

Le rêveur se sent mal à l'aise ; son intuition est bonne mais il ne doit pas s'y fier trop aveuglément car elle pourrait l'amener à de grandes erreurs de jugement.

Rêver que l'on éprouve une grande jalousie, accompagnée d'un désir de meurtre, est un signe de danger et de piège ; mauvais présage, particulièrement pour les commerçants, les militaires et les amoureux.

Le rêveur est un introverti qui dépense toute son énergie dans la recherche de sa vérité intime. Sa personnalité est dominée par cette obsession et aurait besoin de plus de contacts humains.

JAMBES : rêver que l'on a du mal à bouger les jambes est un signe de douleurs et d'ennuis.

Le rêveur est déconcerté par son comportement affectif qui est dominé par une paresse excessive et par le goût du confort avant tout, même lorsque cela s'exerce aux dépens des autres.

Rêver que l'on a des jambes parfaites est un présage de joies nouvelles.

Le rêveur n'a pas peur de la vie, il l'affronte avec sérénité et courage, car sa personnalité est bien équilibrée et son avenir prometteur.

JARDIN (v. ARBRE)

JARDINIER : rêver que l'on est un jardinier est un signe certain de richesse et de chance.

Le rêveur se laisse trop distraire par ses innombrables activités, ses petits soucis et les événements qui traversent sa vie. Il néglige sa propre personnalité et ne parvient pas à contrôler et à coordonner ses sentiments, ses impulsions et les passions qui menacent son existence.

JOUER : rêver que l'on joue aux cartes est un signe de tromperie. Le sujet a un caractère combatif et affronte la vie avec un esprit polémique. Il gagne quelquefois mais, plus souvent, dépense inutilement ses forces.

Rêver que l'on joue avec des jouets annonce, en principe, l'amour et le bonheur.

L'aspect infantile de la personnalité du rêveur le rend trop insouciant et dépourvu du sens des responsabilités. Il fuit les soucis et espère revenir ainsi à son enfance, période dont il a une grande nostalgie.

JOUET : rêver que l'on s'amuse avec des jouets prédit que l'on rencontrera bientôt un ami d'enfance.

Le rêveur est trop insouciant ; il refuse les responsabilités. Ce trait puéril de son caractère, en contraste avec son âge d'adulte, produit en lui un déséquilibre psychique qui peut être dangereux.

JOURNAL : rêver que l'on lit un journal signifie que l'on recevra bientôt de bonnes nouvelles.

Ce rêve trahit chez le sujet le désir de connaître les dessous mystérieux d'un fait qui s'est produit pendant la journée. Le rêveur feuillette le journal et lit les grands titres, mais au réveil il s'efforce en vain de se souvenir de certains détails.

JUGE : rêver que l'on est jugé par un magistrat souriant annonce que l'on devra affronter une sévère censure.

Si le juge est souriant et bienveillant, c'est que le moi du rêveur approuve sa conduite, même si les résultats obtenus ne sont guère satisfaisants. Le sujet a la conscience tranquille car, même si les apparences lui sont contraires, il sait qu'il a agi correctement.

Rêver que l'on est jugé par un juge au visage hostile et sévère annonce des ennuis.

Le rêve a une signification exactement contraire à celle du précédent. Même si les apparences peuvent être favorables, la conscience du rêveur se reproche des actions inavouables et sans fondement.

Rêver que l'on est jugé par un magistrat à l'aspect surnaturel, qui, quelquefois, apparaît ou disparaît brusquement, signifie que l'on bénéficiera d'une aide inespérée dans une controverse.

Le sujet est gravement troublé par son comportement blâmable. Sa conscience le lui reproche et il craint les conséquences de ses actions, contraires aux lois humaines.

L

LABOURER : rêver que l'on laboure un champ annonce d'abondantes satisfactions.

Le rêve est très favorable : le sujet est riche de forces productives qui pourront l'enrichir dans tous les domaines. Mais il doit faire très attention : s'il veut que cette richesse porte ses fruits il ne doit pas tout accumuler pour lui-même, mais en faire profiter les autres.

LABYRINTHE : rêver que l'on se trouve dans un labyrinthe est un signe d'ennuis et de peines.

La vision accuse le rêveur, s'oppose à sa faiblesse de caractère, à son manque de décision et à sa tendance à créer des problèmes qui pourraient très bien être évités.

Rêver que l'on sort, après bien des efforts, d'un labyrinthe, signifie que l'on surmontera des obstacles dans le domaine professionnel.

Si le rêveur parvient à sortir du labyrinthe, la situation est moins grave. En lui se manifeste la volonté de réagir contre les "si" et les "mais" qui constellent ses décisions.

LAC : rêver que l'on se trouve sur le bord d'un lac aux eaux limpides et tranquilles, en compagnie de parents et d'amis, est un signe de prospérité en affaires.

Le rêveur a un caractère extraverti, porté à l'action.

Il y a malheureusement de nombreux aspects de sa personnalité qui lui sont encore inconnus et qui demandent à être découverts et mis en valeur.

LAMPE : rêver que l'on allume une lampe indique un enrichissement ou un appauvrissement selon que la lumière est vive ou faible.
Que la lampe qu'on allume soit grande ou petite, elle trahit un besoin de tendresse de la part du rêveur et reflète sa ferme décision de surmonter tous les obstacles qui s'opposent à la réalisation de son désir de chaleur humaine.

LAPIN : voir en rêve un lapin est un signe de faiblesse en amour.
Le rêveur a un caractère expansif et exubérant ; il s'enthousiasme facilement pour des passions sentimentales qui seront de courte durée. Tout cela est bon si de nouvelles énergies sont réveillées et stimulées, mais si le sujet continue à ne nourrir que des enthousiasmes passagers et des passions éphémères, il se retrouvera finalement seul.

LAVER : rêver que l'on lave quelque chose annonce des joies familiales.
Avec loyauté, le rêveur ressent le besoin de maîtriser et d'orienter ses instincts car il se rend compte qu'il peut être aussi dangereux de les suivre aveuglément que de les négliger. Rêver que l'on se lave à une fontaine est un signe de prospérité.
Le sujet éprouve la nécessité d'une révision de son existence, d'une condamnation radicale de tous les comportements qui sèment le remords dans son subconscient.

LETTRE : rêver que l'on reçoit une lettre est symbole de joie prochaine.

Bien souvent, dans la réalité, on désire recevoir des nouvelles à propos de choses ou de personnes qui nous tiennent à cœur. La crainte que ces nouvelles attendues ne soient pas favorables influence le rêve.

Rêver que l'on reçoit une lettre illisible est le signe d'une affaire obscure tramée à l'insu du sujet.

Si le rêveur est un intellectuel, et que l'élément culturel marque profondément son existence, il devra veiller à épargner ses forces pour pouvoir se consacrer à d'autres activités, dans d'autres domaines.

Rêver que l'on écrit une lettre, et qu'on l'envoie à un ami, signifie que l'on néglige l'amitié en général.

Le songe se prête à une interprétation de la personnalité du rêveur qui, malheureusement, a tendance à se laisser duper par les apparences.

Rêver que l'on reçoit des nouvelles par lettre et qu'on les déchiffre aisément, même s'il s'agit d'une langue étrangère, est un signe de promotion et de chance.

Le rêveur est simple et spontané ; il néglige trop l'élément culturel qui doit, au contraire, guider sa personnalité.

LÉZARD : rêver que l'on voit un lézard qui traverse une route est un présage d'avertissement de la part d'un ami désintéressé.

LIERRE : rêver que l'on reçoit un pot contenant du lierre, que l'on en cueille une branche dans un jardin ou, de toute façon, que l'on tient du lierre entre ses mains, est un présage d'amitié fidèle et durable.

Le rêveur est obsédé par le manque d'amitié. Il voit chez ses amis des ennemis en puissance, prêts à le tromper et à l'abandonner au moment où il aura besoin d'eux. C'est un être très sensible, mais qui veut maintenir à tout prix sa position sociale, acquise par l'effort et aussi par l'intrigue.

LINGE : rêver que l'on voit du linge qui sèche annonce que l'on sera l'objet de médisances.

La conscience du sujet est troublée par des remords confus, dus à des sentiments ou à des attitudes peu honnêtes, et obsédée par la crainte des conséquences éventuelles.

Rêver qu'on voit son propre linge sale exposé à la vue des autres veut dire que l'on sera l'objet de poursuites judiciaires.

Des tendances plus ou moins honnêtes ont été longtemps dissimulées par le rêveur.

Aujourd'hui, à cause d'une imprudence ou simplement par crainte que ses faiblesses ne soient connues de tous, il s'efforce de désamorcer la tension formidable qu'entraînait cet état de choses.

LION : rêver que l'on est attaqué par un lion est un signe de discussion avec la personne aimée.

Le rêveur porte en lui une énergie primitive indomptable qu'il tente d'imposer aux autres, même contre leur volonté. S'il sait exploiter cette énergie, il s'en fera un auxiliaire précieux qui l'aidera à se créer une forte personnalité ; mais s'il s'agit d'une impulsion non contrôlée par la raison, elle aura une influence néfaste sur toute son existence.

Rêver que l'on se bat contre un lion et qu'on le met hors de combat signifie que l'on aura raison d'un ennemi.

Une force instinctive a bouleversé la raison du sujet et il cherche à la combattre par la logique.

LIT : rêver que l'on est étendu sur un lit bien fait et propre est un signe d'indisposition ou de maladie prochaine.

Généralement, ce rêve se produit chez ceux qui ont exercé, pendant la journée, une activité très fatigante ; le désir de repos en est la conséquence directe. Le songe ne se prête donc à aucune interprétation.

Rêver que l'on brise le lit sur lequel on se repose révèle un désir de changement dans la vie affective.

Si le rêve est fait par une femme, il indique chez elle la peur des rapports sexuels et la crainte d'une éventuelle grossesse. Généralement, le rêve est aussi marqué par un tourment que provoque l'état de santé du sujet lui-même ou celui d'une personne chère.

LIVRE : rêver qu'on lit un livre est un présage d'honneurs et de gloire.

Ce rêve indique que le rêveur éprouve la nécessité d'assimiler les notions qu'il a acquises et qui, pour être productives, doivent devenir partie intégrante de son esprit.

LOTERIE : rêver que l'on joue à la loterie est un indice de manque de chance.

Le rêveur s'en remet au hasard, il renonce à toute lutte pour son avenir. Il doit s'armer d'un solide soutien rationnel car il est trop porté à la superstition. Le rêve traduit aussi le désir de pénétrer un secret considéré inviolable. Rêver d'un tirage de la loterie et voir clairement les numéros gagnants est un signe trompeur. Il n'en est pas de même si les numéros sont énoncés par la voix d'un défunt. Le rêveur est combatif de nature, il affronte tous ses rapports avec la vie d'un point de vue polémique plus ou moins marqué. Il peut certes remporter quelques victoires mais, le plus souvent, il ne fait que dépenser inutilement ses forces. Lorsqu'on rêve de nombres, il faut savoir que la vision reflète ordinairement un souvenir enregistré durant la journée.

LOUER : rêver qu'on loue des logements est un songe extrêmement néfaste. Il indique trahison ou entraves dans la vie affective provoquées par un ami cher.

Dans la vie réelle, le rêveur peut être victime d'un désastre financier. Toutes les conditions sont réunies pour que ce désastre ait lieu et le fait de louer une habitation en rêve reflète l'état d'esprit du sujet, qui cherche à améliorer sa situation économique par tous les moyens.

Rêver que l'on se loue à soi-même un champ, et plus encore s'il est cultivé, annonce avec certitude l'aisance financière et une possible augmentation de sa richesse affective.

C'est le rêve caractéristique de l'homme égoïste et sans scrupules. Sur le plan onirique, le désir a une expression absurde mais il n'en détermine pas moins la personnalité du rêveur.

LOUP : rêver que l'on est attaqué par un loup est un présage de souffrance.

Le rêveur doit dompter et étouffer les impulsions négatives qui naissent de sa nature violente. Sa conscience en est troublée au point qu'un sentiment d'angoisse se réveille brusquement, sentiment qui se prolongera pendant toute la journée.

LUMIÈRE : rêver que l'on est soudain inondé d'une lumière forte est un présage d'illusions éphémères.

Un vif espoir naît brusquement chez le rêveur qui prend confiance en ses propres forces jusqu'ici bridées par la timidité et les complexes d'infériorité.

La lumière brusque dénote quelquefois la crainte d'une révélation indiscrète à propos d'un défaut qu'il désire garder secret.

LUNE : rêver que l'on se trouve sur la lune est un présage funeste : il prédit maladie et peines.

Selon Artémidore, la lune vue en rêve a généralement un rapport avec les femmes qui habitent chez le sujet, qu'il s'agisse de sœurs, d'épouse ou de mère ; elle dénonce les illusions et la peur de la solitude. D'autres fois, la lune révèle les désirs irréalisables du rêveur et son envie de s'évader d'une vie terne.

LUNETTES : rêver que l'on porte des lunettes est un signe de mélancolie et de mésaventure.
Le rêveur observe la réalité d'une façon trop subjective et déforme les faits selon ses désirs et ses ambitions. Il doit s'imposer à sa personnalité, durement et brusquement, par l'usage de la raison afin de prendre conscience de la situation réelle.
Rêver que l'on porte des lunettes noires est un signe d'aventures déplaisantes.
Timide par nature, le rêveur s'est volontairement enfermé dans son travail et il ne voit pas la vie telle qu'elle est. Il prend le comportement de l'autruche qui, pour échapper à une réalité qui la terrorise, enfouit sa tête dans le sable.

M

MACHINE : rêver que l'on est pris dans les engrenages d'une machine est un signe d'augmentation de fortune et de travail. Ce rêve appartient à ceux qui se sentent écrasés par les exigences de la vie et qui craignent de succomber.

MAGIE : rêver que l'on effectue un tour de magie, pour surmonter un obstacle ou se soustraire à un danger, annonce des gains.
Le rêveur est assailli par des problèmes dont certains sont d'ordre économique. Inconsciemment, il nourrit l'espoir qu'une intervention surnaturelle ou magique lui permettra de résoudre ces problèmes qui paraissent sans solution.

MAIN : rêver que l'on possède des mains belles et fortes signifie que l'on mènera à bien des affaires importantes.
Les mains reflètent l'activité intellectuelle et professionnelle du rêveur. Elles attirent particulièrement son attention à cause des différentes significations qu'elles prennent selon les gestes que l'on accomplit.
Rêver que l'on a les mains sales veut dire que l'on abuse de la confiance d'autrui et qu'on se rend coupable de vol. Le songe révèle que le sujet est dominé par des complexes de culpabilité ainsi que par des soucis à propos d'actions qu'il juge lui-même indignes d'un être humain.

Rêver que l'on a les mains tranchées est un signe de malheur et de perte financière.

Ce rêve traduit un complexe de culpabilité, des craintes relatives à des actions nuisibles, blâmables et indignes, ainsi que le désir de faire disparaître, par l'amputation, des traces inquiétantes qui troublent et impressionnent le sujet.

Rêver que l'on·a les mains maculées de sang est un signe de rupture et de perte d'amis.

On voit souvent ses propres mains couvertes de sang lorsqu'on se remémore certains souvenirs d'enfance où quelqu'un menace de faire couler le sang.

MAISON : rêver d'une maison est un excellent présage ; si la maison est solide, elle est symbole d'amour ; petite, signe de tranquillité et de joie ; grande, signe de bonheur.

Le moment est opportun pour prendre de nouvelles initiatives. Le rêveur possède la force, l'équilibre et l'harmonie. Tout en restant très attaché au passé, dont il cultive les valeurs, il a un esprit dynamique et moderne. Il s'est forgé une nouvelle personnalité.

Rêver que l'on se trouve dans une maison inconnue et vide annonce des discussions en famille.

Le rêveur a besoin de se renouveler avec dynamisme. Il manque de motivation, il a peur des grandes idées et des grands sentiments et se contente d'une vie mesquine, refusant les responsabilités par pur égoïsme ou par timidité. En rêve, l'homme tend fréquemment à fuir les difficultés en se réfugiant dans des lieux qui symbolisent le sein maternel (dans ce cas, c'est la maison) afin de s'isoler et d'être protégé.

MAÎTRESSE (v. AMANT)

MALADE : le rêve est signe de santé physique mais aussi de trouble psychique. Rêver que l'on est malade veut dire que l'on prendra de nouvelles initiatives, dans le domaine professionnel.

Le rêveur est étouffé par une passion irrésistible qui a provoqué un grave traumatisme psychologique. Il est possible que sa conscience ne s'en soit même pas aperçue, tout en ayant cependant enregistré un état insolite de malaise.

Rêver que l'on rend visite à un malade et que l'on parle avec lui, annonce de bonnes nouvelles.

Le rêveur a le sens de la justice sociale ; il fraternise avec ses semblables et comprend leurs difficultés morales et matérielles. Il sait assumer ses responsabilités avec un sentiment de solidarité humaine.

MALADIE : rêver que l'on souffre d'une maladie est un signe de mélancolie et de tristesse.

Le souci de son propre état de santé dénonce chez le rêveur une certaine appréhension. Le songe révèle quelquefois le désir inavoué d'être réconforté parmi les difficultés de tous les jours ; le rêveur regrette la période de son enfance où il fut assisté et consolé avec amour.

Rêver que l'on voit ses propres parents gravement malades est un signe de manque de travail et de paresse favorisée par l'oisiveté.

Ce rêve peut indiquer l'appréhension que le rêveur nourrit pour l'état de santé d'une personne chère. Dans ce cas, il ne nécessite pas d'interprétation particulière. Il peut aussi exprimer scrupules et remords pour une action peu honnête accomplie par le rêveur.

MALLE : rêver que l'on porte une malle, ou qu'on la traîne, est un signe d'espérances déçues.

Le rêveur accorde plus d'importance à certaines valeurs secondaires (richesse, réputation) qu'aux valeurs authentiques et profondes.

Rêver que l'on a perdu une malle, ou qu'elle a été volée, est un signe d'incertitude pour le travail.

Le rêveur gaspille ses forces, par paresse ou par manque d'intérêt. Il méconnaît les dons de l'existence car il se laisse envahir par le regret de ce qu'il aurait pu avoir jadis et qu'il n'a pas obtenu à cause de sa négligence.

MANGER : rêver que l'on mange des plats que l'on a cuisinés soi-même est de bon augure ; c'est un indice de prospérité.

Ce rêve reflète bien souvent un état réel (faim, indigestion, etc.). Dans ce cas, il n'a pas de valeur symbolique.

Rêver que l'on mange quelque chose dont l'aspect est alléchant mais qui a mauvais goût est un présage de déception. Le rêveur doit nécessairement enrichir sa vie psychique par des forces naturelles, en secouant l'apathie et l'indifférence qui la caractérisent.

MANOIR : rêver que l'on habite dans un vieux manoir indique une réussite sans difficultés dans des investissements financiers.

Le rêveur est excessivement attaché au passé, aux idéaux de son enfance baignés d'une clarté fabuleuse. L'amertume et les déceptions le poussent à se tourner vers la vision onirique où il se sent plus en sécurité, plus confiant et mieux protégé des forces supérieures. On pense rarement, pendant la journée, à un manoir, mais la nuit, la méfiance, la résignation, une vie monotone et sans initiative engendrent ce rêve qui exprime les désirs non réalisés. Il faut oublier le passé et le remplacer par des idées et des sentiments nouveaux.

MANSARDE : rêver d'une mansarde en ruine est un signe de changement d'habitation.

Le rêveur a besoin de renouveler son bagage spirituel par des idées et des sentiments neufs, d'oublier le passé auquel il est lié, non seulement par de petites valeurs réelles, mais aussi par de grands préjugés.

L'esprit dynamique de cet homme moderne exprime par ce rêve sa satisfaction d'avoir une vie équilibrée et sûre. Il donne l'image d'une personnalité saine et posée.

Rêver que l'on est enfermé dans une mansarde, sans aucune possibilité d'en sortir, est de mauvais augure. Des preuves à charge du rêveur seront découvertes, avec risque qu'il soit incarcéré.

L'activité professionnelle et sentimentale du sujet s'est enlisée. Il est tourmenté par des remords et des dilemmes secrets. Individu sans scrupules et d'un égoïsme illimité, il craint de devoir récolter ce qu'il a semé.

MARCHÉ : rêver d'un marché en pleine activité est un signe de perte d'argent.

Le rêveur est certainement un commerçant. Pour lui, la réalité quotidienne se prolonge dans le rêve et la vision n'a donc pas de valeur symbolique.

Rêver d'un marché peu fréquenté mais bien fourni en marchandises est un bon présage, surtout pour ceux qui travaillent dans le commerce.

Ce rêve, de caractère typiquement féminin, reflète l'appréhension de la ménagère qui doit équilibrer un budget difficile.

MARÉCAGE : les rêves qui se rapportent à des marécages ne sont favorables qu'aux bergers. Pour les autres, ils annoncent des difficultés, des efforts, des peines, des maladies et la pauvreté.

C'est l'un des rêves classiques des personnes qui vivent seules, surtout si elles sont en proie à l'inconfort et au désespoir. Le rêveur traverse une période dangereuse car sa personnalité menace de succomber à des éléments passionnels et irrationnels. Toutefois lorsque le marécage est éclairé par un rayon de soleil ou que l'on y découvre quelques touffes d'herbe fraîche, sa solitude touche à sa fin.

MARI (v. HOMME)

MARIAGE : si une jeune fille rêve de cérémonie matrimoniale, son bonheur sera de courte durée.
Le rêve reflète clairement le conflit entre le monde sentimental et la famille d'une part, et le monde professionnel et les ambitions sociales d'autre part. La rêveuse est tiraillée entre l'idée du mariage et celle de sa carrière ; elle craint de se tromper ou de ne pas réussir à équilibrer ces deux pôles.
Rêver que l'on se marie avec une personne inconnue, ou sans visage, doit inciter à abandonner les nouvelles entreprises et à reprendre ses habitudes.
Le rêveur (ou la rêveuse) éprouve le désir d'un changement radical d'existence, car il est insatisfait de son activité affective actuelle.

MARMITE : rêver que l'on a plusieurs marmites sur le feu prédit que l'on recevra des visites inutiles et ennuyeuses. Il s'agit d'un rêve typiquement féminin qui reflète aussi un désir de mariage. Ces rêves sont généralement accompagnés d'un sentiment d'appréhension, de la peur d'avoir des surprises désagréables. Pour les femmes mariées, les marmites dont on enlève le couvercle et que l'on découvre vides, alors qu'on les croyait pleines, sont l'indice de dissensions familiales.

MASQUE : rêver que l'on porte un masque doit faire penser à une trahison.

Le rêveur subit un processus de mimétisation de sa personnalité, créé par sa propre raison. L'inconscient révèle par cette vision l'existence d'une crainte ou d'une peur, l'incapacité d'affronter à visage découvert les responsabilités de la vie sociale.

MATIN : rêver d'un matin, du jour qui se lève, est un signe de profit et de richesse.
Le songe laisse très souvent une sensation de détente, de tranquillité, de bien-être provenant d'un changement d'existence. Pour le travailleur, le matin représente le cauchemar du réveil et du lever quotidiens.

MÉDECIN : rêver d'avoir un médecin à son chevet est un signe de prochaine indisposition.
Au moment où se manifeste le songe, le rêveur est troublé par différents conflits. La seule solution à ces conflits est d'y réfléchir sérieusement pour identifier la cause du malaise actuel et en trouver les remèdes.
Rêver d'un médecin qui nous oblige à prendre un médicament annonce bien des désagréments.
Le songe reflète la crainte des répercussions entraînées par un certain laisser-aller et le médecin qui administre le remède représente clairement un avertissement.
Rêver que l'on voit un médecin administrer un remède à quelqu'un présage de la joie et de la prospérité dans le domaine du travail.
Cette vision onirique est un indice d'assurance ; elle révèle chez le sujet le désir de paraître parfait aux yeux des autres.

MENDIANT : rêver que l'on est un mendiant est signe que l'on va perdre un procès en justice.
Le rêveur manque d'assurance et d'autonomie. Il ne sait pas prendre d'initiatives et a besoin de conseils ; hélas, même

conseillé, il reste incapable de mener à bien ses entreprises. Rêver qu'un mendiant frappe à la porte de sa maison est un symbole de richesse et de tranquillité.

Le rêveur est instinctivement individualiste et ne fait aucun effort pour comprendre la valeur de la vie collective. Cette mentalité l'empêche de prendre conscience des principes et des devoirs de la société. Sa vie quotidienne est marquée par l'absence totale de responsabilités.

MER : rêver d'une mer agitée par de grosses vagues est synonyme de défaite.

Si la mer résulte d'une impression reçue pendant la journée, le rêve n'a pas de valeur symbolique.

La mer agitée représente particulièrement les aventures amoureuses du sujet, qui exercent leur domination sur lui, et provoquent des conséquences fâcheuses, surtout à cause d'une tendance excessive à la luxure.

Rêver d'une mer calme signifie bonheur, et réussite dans les affaires.

En général, le rêveur est prêt à réfléchir sur lui, sur sa vie, sur ses aspirations. Il a trouvé en lui des forces qui attendent d'être utilisées.

Rêver que l'on marche sur la mer sans s'enfoncer dans l'eau annonce un mariage pour les célibataires.

Le sujet a une personnalité tyrannique qui doit être maîtrisée et orientée, car elle est actuellement dirigée sur une mauvaise voie; le sujet a, en effet, choisi une route contraire à sa vraie nature.

MÈRE : rêver de sa propre mère annonce une période de sécurité.

La figure de la mère est pour le rêveur la traduction d'un désir de protection, de retour à l'enfance, d'un besoin, peut-être inconscient d'affection et de compréhension féminine.

Ce rêve est typiquement masculin et concerne particulièrement les hommes non mariés ou insatisfaits de leur mariage. Celui qui sollicite en rêve l'apparition de sa mère admet sans réticences qu'il est incapable de s'imposer ; il se reconnaît par là semblable à un enfant qui a besoin d'être protégé. Pour une femme, ce songe représente généralement un besoin de protection et de sécurité, provoqué par un sentiment de solitude, d'abandon particulièrement graves.

MESSE : rêver que l'on se trouve dans un lieu sacré pour assister à une messe est de bon augure : c'est un signe de tranquillité.
L'âme du rêveur ressent l'absence d'un véritable sentiment religieux. C'est le songe typique de ceux qui, par négligence, ont abandonné les pratiques religieuses. Leur conscience se rebelle et l'esprit religieux, stimulé par les traditions, affleure dans le rêve.

MIROIR : rêver que l'on se regarde dans un miroir laisse présager des flatteries et des mensonges de la part d'amis. Dans la plupart des cas, le rêveur est dans une période d'auto-critique et il éprouve un étrange malaise à voir son image telle qu'elle est en réalité, reflétée par le miroir. La réalité l'épouvante car il se découvre différent et bien au-dessous de ce qu'il imaginait.
Rêver que l'on brise un miroir signifie que ses ambitions s'envolent en fumée.
Le rêveur désire analyser sa personnalité. La situation est symbolisée par la rupture du miroir qui donne une impression de cauchemar.

MITES : rêver que des mites sont en train de détruire ses propres vêtements indique une perte d'objets.
En général, il s'agit d'un rêve concernant surtout les ména-

gères qui, pendant la journée, ont eu la désagréable surprise de découvrir certains vêtements ravagés par les mites.
Dans ce cas, il n'a donc pas de valeur symbolique.

MOISSONS (v. BLÉ)

MOMIE : rêver d'une momie annonce des discussions violentes.
Le souvenir lointain d'une aventure peu plaisante affleure
à la conscience du rêveur. Celui-ci voudrait l'oublier mais
ce souvenir désagréable continue de le tourmenter. L'image
de la momie est le symbole de cette mauvaise expérience.

MONSTRE : rêver que l'on se trouve en présence d'un
monstre est un présage mauvais. Les fauves, et en général
tous les monstres ont une signification néfaste. De même
toutes les difformités humaines sont symbole de malheur et
constituent des signes peu encourageants.
L'apparition ou la présence de monstres, comme d'ailleurs
d'objets qui n'ont pas leur aspect naturel, indique que les
espoirs du rêveur seront vains, ses désirs irréalisables et
toutes ses entreprises vouées à l'échec.
Ce rêve est presque toujours le fruit de déformations psychiques, la conséquence de faits impressionnants survenus
pendant la journée. Dans ce cas, le songe n'a pas de valeur
symbolique. Lorsqu'il ne s'agit pas de réminiscences, l'apparition, en rêve, de monstres ou de choses monstrueuses
représente la violence et la bestialité. Des forces irrationnelles et puissantes sont en jeu, forces agressives qui échappent souvent au contrôle de la conscience, de la raison, et
en menacent l'intégrité.

MONTAGNE : rêver que l'on fait l'ascension d'une montagne est un signe d'amélioration financière.

La montagne est pour le rêveur un obstacle difficile à surmonter, quel qu'en soit le genre et qui engendre dans le subconscient la ferme volonté de passer outre. Les montagnes peuvent parfois être liées à des souvenirs d'enfance, dans ce cas comme nous l'avons dit plusieurs fois, le songe n'aurait aucune valeur symbolique.

Rêver que l'on descend d'une montagne est un signe de perte de biens.

Le sujet éprouve une grande appréhension quant à son activité professionnelle et nourrit de fortes craintes à propos de spéculations hasardeuses. Il n'a pas le courage de réagir et il préfère se déclarer vaincu plutôt que de combattre. Généralement, pourtant, celui qui rêve de montagnes, pour y monter ou en descendre, est un intellectuel et un individualiste qui aime s'isoler et refuse de participer à l'activité collective. Il s'agit évidemment d'un égoïste qui manque à certains devoirs.

MONTER : rêver que l'on gravit un sentier escarpé et difficile est l'indice d'une gloire fragile.

L'équilibre du rêveur est incertain et a besoin d'un secours extérieur. La peur que ses tentatives soient inutiles devient plus forte lorsqu'il s'efforce de monter, en rêve, et qu'il s'aperçoit être toujours à la même place. Pour réussir il devra employer toute son énergie afin d'atteindre et de conserver un degré d'équilibre satisfaisant.

Rêver que l'on monte un escalier, ou que l'on grimpe sur des rochers, est un signe de bien-être familial.

C'est le rêve caractéristique de ceux qui se lamentent quotidiennement de leurs difficutés parce qu'ils manquent de confiance et d'optimisme, bien qu'ayant atteint un équilibre satisfaisant. Lorsque le sujet éprouve une grande satisfaction à monter, il traduit un désir assouvi d'amélioration de sa personnalité.

MONTRE (v. HORLOGE)

MORT : rêver de se voir mort signifie que l'on est en bonne santé et annonce un bon mariage aux rêveurs célibataires. Mort et mariage sont étroitement liés. L'homme marié qui rêve de sa propre mort se séparera de son épouse ou sera abandonné par sa famille. Si un père rêve qu'il est mort, c'est un signe de bonne santé pour ses enfants. Pour les poètes, les écrivains et les artistes, ce rêve annonce le succès. Le malade qui se voit sur son lit de mort guérira. Le songe n'a aucune valeur prophétique, même si certains prétendent qu'il allonge la vie et d'autres qu'il annonce un grand malheur. Si le rêveur voit sa propre mort, cela signifie que, par égoïsme ou opportunisme, il a étouffé en lui les meilleurs sentiments. Sa raison, désormais lucide, tente de reconstruire tout ce qu'il a injustement détruit.

Voir des morts en rêve, sans parler avec eux, est un signe de joie et de chance ; si les morts se montrent hostiles, le songe annonce des mensonges ; si un mort s'adresse au rêveur et lui parle : bon présage et chance.

Si le sujet voit en rêve des parents, des amis ou des personnes qu'il connaît, qu'ils soient morts ou encore en vie, cela veut dire que la personne rêvée a considérablement influencé son existence et sa personnalité. Se trouvant brusquement sans guide, le rêveur se sent désorienté et cherche symboliquement un appui.

Rêver de la mort telle qu'on la représente traditionnellement est un présage de grande chance.

Lorsque la mort est représentée par un squelette et une faux, le songe indique que le sujet est excessivement lié aux valeurs matérielles de la vie. Il a besoin de se convaincre que tout passe et retourne au néant et que l'homme, lui aussi, redevient poussière. Il doit se détacher des richesses et se rapprocher des valeurs spirituelles.

Si une femme rêve qu'elle est poursuivie par la mort, elle fera un mariage avantageux.

La rêveuse craint une grave maladie et ses conséquences probables.

Toutefois, si ce n'est pas la terreur qui détermine la vision onirique, on en déduit que le sujet est simplement en train de combattre une tendance mauvaise, à laquelle il est convaincu de pouvoir échapper.

MOUCHE : rêver de mouches bruyantes annonce que l'on subira méchanceté et diffamation.

Rêver de mouches est aussi synonyme de menace pour le commerce.

Le rêveur doit craindre les jugements prononcés derrière son dos. C'est un timide qui connaît malheureusement trop bien ce genre de rêves et les mouches représentant ses semblables, auxquels il ne peut s'imposer, tout en sachant qu'ils sont moins intelligents et beaucoup moins capables que lui.

MOUSTACHES : rêver que l'on possède de longues et abondantes moustaches est un signe d'augmentation de fortune. Le rêveur a quelques instincts primaires qui se développent de façon considérable et prennent le dessus. Il doit donc surveiller avec une extrême attention son état psychique. Si c'est une femme qui rêve, elle doit s'efforcer d'être plus simple et plus naturelle.

MUR : rêver que l'on grimpe sur un mur signifie que l'on surmontera un obstacle que l'on tenait pour infranchissable. Il arrive que le rêveur s'accroche à quelque chose ou à quelqu'un parce qu'il manque de confiance en lui.

Rêver que l'on abat un mur, pour poursuivre son chemin, est un signe de réussite dans les affaires et de gains importants.

Le mur représente les divers obstacles que le sujet rencontre ou croit rencontrer. Rêver que l'on supprime l'obstacle ne change rien à la situation. Le rêve dénonce un malaise. La peur de l'obstacle traduit la faiblesse et l'incapacité du sujet. Rêver que l'on se trouve devant un mur très haut et infranchissable signifie que l'on sera en proie à certains malaises. Le rêveur tend à s'isoler ; il ne veut pas apporter son concours à une société dont il profite cependant. Cette attitude passive lui sera néfaste.

MÛRES : manger des mûres qui viennent d'être cueillies est un signe d'abondance et de plaisirs.

Il s'agit d'un rêve typiquement féminin qui dénote chez la rêveuse une coquetterie innée et un désir excessif de plaire.

MURMURE : entendre en rêve un murmure, sentir un souffle léger sur son visage, annoncent des mensonges et des calomnies prononcés par des amis.

Il arrive souvent que l'on entende murmurer en rêve des phrases dont on ne réussit pas à saisir le sens ; elles reflètent une pensée déplaisante que l'on voudrait oublier et qui s'est manifestée avec insistance pendant toute la journée.

MUSIQUE : rêver que l'on entend de la musique ou que l'on joue un air à l'aide d'un instrument quelconque, même si on ne connaît pas le solfège, annonce la fin des soucis. Il est très rare d'entendre de la musique dans les rêves qui se manifestent surtout de manière visuelle. Mais cela peut arriver. Il faut alors savoir que le message concerne exclusivement le monde sentimental et émotif du rêveur. Ce rêve est presque toujours accompagné d'une sensation de paix et de sérénité. Les sages de l'antiquité affirmaient que les bienheureux savaient rêver de musique, car la musique était considérée comme la voix du Grand Créateur.

N

NAISSANCE : rêver de sa propre naissance est un signe de grande chance et de joies futures.

Ce rêve est pour le sujet la conséquence d'un traumatisme causé par un malheur, un échec ou une grosse perte d'argent. Son désir inconscient d'anéantissement se transforme en désir d'une nouvelle vie. Pour la femme, rêver d'une naissance est très souvent provoqué par l'espoir ou la crainte d'une maternité.

Rêver que l'on assiste à la naissance d'une personne chère qui, actuellement, n'est pas en bonne santé, annonce la mort de cette personne.

Le songe, extrêmement rare, est déterminé par le subconscient du rêveur, par son désir de voir la personne aimée renaître physiquement et moralement.

NAUFRAGE : rêver que l'on fait naufrage est un présage de danger et d'angoisse.

Le rêveur est tourmenté parce que quelque chose de répréhensible — ou que son subconscient juge ainsi — l'attire et l'entraîne sans qu'il puisse réagir.

NAVIRE : rêver que l'on voyage sur un navire, par une mer calme, est un bon présage ; la mer agitée est un signe de tristesse.

Le rêveur cherche de nouvelles voies, n'étant pas satisfait de sa situation actuelle. Mais il est trop craintif et manque de confiance en lui pour atteindre le but qu'il s'est fixé. Au contraire, il se fie excessivement aux secours extérieurs et croit pouvoir diriger son existence en s'en remettant aux conseils d'autrui, même lorsqu'il possède assez d'énergie pour choisir seul la route qui lui convient.

NEIGE (v. aussi GLACE) : rêver que l'on voit la neige tomber est le signe d'un amour naissant.

L'isolement et la solitude troublent profondément le sujet, jusqu'à l'angoisse. Son univers affectif est en crise car il n'est pas en mesure d'exprimer ses sentiments, à cause de sa timidité et de son manque de volonté.

Rêver que l'on est enseveli sous de la neige et que l'on émerge au prix de grands efforts est un indice de difficultés financières de courte durée.

Si le rêveur se voit enseveli sous une grande masse de neige et qu'il réussit à en sortir après maints efforts, cela signifie qu'il est parvenu, grâce à un immense travail de la volonté, à vaincre sa crainte inconsciente de l'isolement, en reconnaissant que son attitude était irrationnelle et injustifiée.

NEZ : rêver que l'on a le nez tranché est signe que l'on sera l'objet de médisances infamantes.

Ceux qui font ce rêve doivent se tourner vers leur enfance, vers l'époque où les aventures de Pinocchio les impressionnaient (ainsi le nez de la marionnette s'allongeait lorsqu'elle mentait). La crainte que quelque mensonge puisse être découvert influence le rêveur, jusqu'à provoquer une mutilation qui évitera reproches et menaces.

NID : dans les rêves, le nid de serpents est synonyme d'inquiétudes et de peines.

Il existe, dans le subconscient du sujet, des instincts primitifs qui sont sur le point d'échapper au contrôle de la conscience. Ordinairement, ils peuvent se révéler à cause d'une stimulation extérieure et entraîner de graves déséquilibres.

Voir en rêve un nid contenant beaucoup d'œufs est un signe de prospérité et de richesse.

Le nid représente le refuge de l'être vivant, qu'il soit homme ou animal. Il est le symbole de la féminité, de la famille, de la sécurité. Ce rêve est caractéristique de la femme et traduit le désir du mariage.

Rêver que l'on voit sur un arbre un nid vide est un indice de séparation douloureuse.

Bien que les personnes qui approchent le rêveur le considèrent comme un individu capable et plein de ressources, son subconscient est perturbé car, par pure rationalité, il a étouffé ses meilleures impulsions. Le calme apparent de sa conscience n'est pas un signe d'ordre mais l'expression d'une absence de valeurs et d'une grande pauvreté d'esprit.

NŒUD : rêver que l'on est ligoté annonce l'embarras et la difficulté.

Le rêveur croit, à tort ou à raison, que quelqu'un tente de rendre irréalisable ce qu'il voudrait accomplir ; sa crainte de ne pas réussir à déjouer ces plans s'exprime oniriquement, en révélant un complexe d'infériorité très marqué.

Rêver que l'on défait un nœud est un signe de recouvrement d'argent.

Le sujet voudrait se libérer d'un doute, d'une préoccupation, ou encore d'une personne qu'il n'aime plus.

NOIX : rêver que l'on cueille des noix est un signe de difficultés momentanées.

En général, le fait de cueillir des fruits traduit la crainte du rêveur d'être considéré comme un parasite. Il devra se libérer tout seul de cette sensation, en évitant de se créer des problèmes ou des angoisses inutiles et nuisibles.

Rêver que l'on porte sur ses épaules un sac plein de noix est synonyme de succès dans le commerce et l'industrie. Le sujet traverse actuellement une période affective extrêmement difficile. Un problème resté en suspens capte toute son attention, donnant lieu à une situation complexe qui trouble son existence et pourrait même engendrer une crise grave. Il doit régler seul cette situation, en s'appuyant sur la raison, et il en tirera de grandes satisfactions.

NOMBRES : rêver de nombres est un présage de chance. Comment empêcher les personnes qui rêvent de nombres d'aller jouer ces mêmes nombres au champ de course, à la loterie ou ailleurs ?

Il faut savoir que les nombres de la vision onirique ont été enregistrés durant la journée précédente ; ils ne possèdent donc aucun caractère prémonitoire. Quoi qu'il en soit, bonne chance aux rêveurs !

NOUER : rêver que l'on noue un mouchoir signifie que l'on recevra de bonnes nouvelles à propos d'un héritage attendu depuis longtemps.

Le rêveur est un être plein de valeur, mais il ne sait pas faire usage de ses qualités, car il souffre d'un important complexe d'infériorité. Tout cela est sans fondement. Il doit avoir confiance dans ses capacités.

Rêver que l'on noue une cravate est un signe de gain à la loterie mais aussi de gaspillage immédiat.

Le rêveur est, dans la plupart des cas, vaniteux, irréfléchi et superficiel. Ce rêve est une exhortation afin qu'il ne perde plus son temps à gaspiller les richesses réelles qui sont en lui.

NOURRITURE : rêver que l'on mange une nourriture quelconque annonce un prochain changement de situation.

Evidemment le rêve n'a aucune valeur symbolique si le sujet s'est couché l'estomac vide et qu'il souffre de la faim. Il en va de même lorsqu'il a dû préparer le repas de quelqu'un, car le songe reflète une situation réelle de la journée. Dans tous les autres cas, le rêveur éprouve le désir d'acquérir de nouvelles forces, nécessaires à sa vie spirituelle, car il menace actuellement de sombrer dans le matérialisme.

Rêver que l'on refuse de la nourriture annonce une brève maladie.

Si le songe n'est pas dû à un malaise ou à une indigestion, il indique que le rêveur est devenu insensible aux malheurs des autres. Il passe pour être un matérialiste endurci qui a gaspillé au cours de sa vie la meilleure part de lui-même.

NOYADE : rêver que l'on se noie annonce un danger de mort très proche.

Le rêveur sent en lui des désirs et des impulsions dont il ignore complètement l'origine. Il devra les examiner avec attention car il peut être aussi dangereux de les suivre que de les négliger.

Rêver que l'on voit des amis ou des personnes chères se noyer signifie qu'on devra leur apporter un secours financier qui ne sera jamais remboursé.

Le tempérament expansif du rêveur le pousse davantage à l'action qu'à la réflexion. Il ne s'est jamais soucié de s'analyser. Un examen attentif lui permettrait de voir plus objectivement la vraie profondeur de la vie. Ce réveil, pour brusque et difficile qu'il soit, l'amènerait à se rendre compte de sa situation réelle.

Rêver que l'on coule lentement et que l'on se noie dans un liquide quelconque annonce des procès, des difficultés judiciaires, et prédit aussi un manque de travail.

Le rêveur est devenu excessivement tyrannique. Il est la proie d'impulsions difficilement contrôlables. Il peut cependant s'agir d'une situation temporaire, ce qui n'exclut pas la nécessité d'une intervention de la raison et de la volonté pour maîtriser instincts et passions.

NUAGE : rêver de gros nuages blancs est un signe de prospérité.

Le sujet a vraiment une nature de... rêveur, dans tous les sens du terme. C'est un perplexe, éternellement soucieux, qui a peur de tout. Il voudrait que le soleil perce derrière les nuages pour l'éclairer, atténuer ses doutes et ranimer ses espérances. Mais, naturellement, son tempérament lui interdit toute situation claire et il reste prisonnier de son trouble habituel.

Si l'on rêve de nuages noirs annonciateurs d'orage, on subira un échec qui engendrera la mélancolie.

Le rêveur traverse une mauvaise période d'indifférence et d'apathie. Rien ne l'intéresse et il se traîne, jour après jour, sans buts ni enthousiasme. Il faudrait qu'un grand choc psychique ébranle violemment sa vie intérieure et brise son immobilisme qui est plus dangereux que bien des passions.

NUDITÉ : rêver que l'on est nu signifie que l'on devra affronter la pauvreté et l'inconfort.

Le rêve peut être provoqué par une sensation de froid réellement éprouvée ; dans ce cas, il est dépourvu de valeur symbolique. Si le rêveur ne se trouve pas dans cette situation, le songe indique qu'il doit prendre garde à ses complexes d'infériorité, très prononcés. Une timidité exagérée peut aussi lui donner la sensation d'être nu, à découvert, exposé aux regards de tous. Il a peut-être laissé entrevoir à autrui un aspect de son caractère qu'il avait toujours tenu caché, et qui a été mal compris.

NUIT : rêver d'une nuit claire, où l'on peut distinguer facilement les objets, est un signe de succès en amour et en affaires.

Lorsque le sujet se trouve lui-même dans le rêve et qu'il admire une nuit claire, lumineuse, étoilée, où brille une pleine lune, c'est qu'il s'agit d'un individu à l'esprit rationnel qui n'apprécie que ce qu'il peut démontrer mathématiquement.

Rêver d'une nuit obscure, sans lune, est un présage de malheur.

Le rêveur cède à ses instincts et se laisse dominer par eux. Il faut que sa personnalité intervienne immédiatement et de façon énergique, faute de quoi il finira par succomber à des passions malsaines et perdra toute dignité.

Rêver que l'on voit les étoiles et la lune briller de manière insolite dans la nuit est un signe de mariage réussi et de bien-être. La vision onirique révèle le caractère trop romantique du rêveur : elle devrait le mettre en garde contre les illusions. Habituellement, ce rêve laisse au moment du réveil une douce sensation de mélancolie et un besoin puissant d'amour et de tendresse.

Rêver que l'on voit des lampes briller dans la nuit est un présage de succès dans le travail.

La vision reflète la sécurité et la confiance du rêveur en ses propres forces ; il a su créer une collaboration harmonieuse entre son intelligence et son affectivité.

O

OBSCURITÉ : rêver que l'on se trouve dans l'obscurité, en un lieu indéterminé, et que l'on éprouve une grande peur, signifie que l'on recevra bientôt de bonnes nouvelles concernant son travail.

La crainte de l'obscurité est, pour le rêveur, un héritage de l'enfance. On pense généralement que la peur de l'obscurité remonte au tout jeune âge, lorsque, enfant, on pleurait la nuit et que personne ne venait nous consoler.

Rêver que l'on est plongé dans une obscurité totale est un signe d'incertitude.

La vision nocturne est accompagnée de façon insistante par des sensations particulières qui, normalement, ne devraient pas trouver leur place dans cette situation déplaisante. Il s'agit d'un souvenir lointain, venu de la jeunesse du sujet. Naturellement, le songe déforme les faits de la manière la plus étrange.

OBSÈQUES : rêver que l'on assiste aux obsèques de quelqu'un est un signe de danger et annonce un désastre.

Le rêveur souffre, dans la plupart des cas, d'un complexe de persécution : il se croit toujours visé par le malheur. Parfois, ce sont des remords qui engendrent le désir d'enterrer son passé. L'interprétation est liée aux sentiments et aux expériences du sujet.

Rêver que l'on est présent à ses propres obsèques signifie que l'on obtiendra un succès considérable en affaires.

Le rêveur se voit dans un cercueil et cherche à établir la cause de son décès. Il éprouve très probablement une forte aversion envers quelque trait de son caractère ou de son comportement qu'il désire enterrer symboliquement.

OBSTACLE : rêver de franchir un passage étroit (comme par exemple un trou, une meurtrière, un boyau resserré) et d'y réussir avec beaucoup de peine indique un petit avancement de carrière et un gain de peu d'importance.

Le rêveur tente de s'ouvrir un passage, y compris à coups de coudes, pour atteindre un degré plus élevé de l'échelle sociale. Il se soucie peu des moyens et ne considère que son but. La vision onirique sera, par conséquent, accompagnée de peur et d'angoisse.

ODEUR : rêver que l'on respire une odeur suave est un bon présage.

Les odeurs peuvent susciter chez le rêveur diverses visions nocturnes. Les manifestations oniriques concernant l'odorat sont pourtant rares. Elles ont généralement lieu lorsqu'une silhouette féminine apparaît, car ce rêve est typiquement masculin.

Rêver que l'on sent une odeur désagréable est un signe de grand ennui.

Lorsqu'elle ne reflète pas une situation réelle (odeur de gaz, par exemple) la vision indique que le sujet porte en lui des éléments positifs qui l'aideront à perdre ses mauvaises habitudes et à interrompre certaines relations douteuses.

Rêver que l'on perd l'usage de l'odorat indique que l'on se laisse envahir par une grande apathie.

Généralement, le motif du rêve existe dans la réalité, mais la vision onirique donne des proportions gigantesques à la vérité ; le sujet, très émotif, se laisse facilement vaincre par les difficultés.

ŒIL : rêver que l'on ne réussit pas à ouvrir les yeux est un indice d'amour passionnel.

Si le songe reflète une situation réelle due à la fatigue ou à un traitement médical, il ne nécessite aucune explication ; dans les autres cas, il s'agit d'une paresse innée. Tout effort semble impossible au sujet qui renonce à l'activité.

Rêver que l'on a les yeux malades est un signe de mauvaises affaires.

C'est le rêve angoissé de ceux qui, à cause d'une maladie ou d'une blessure, ont les yeux bandés. Il s'agit d'une manifestation tout à fait normale traduisant la crainte d'être trompé ou maltraité.

Rêver que l'on perd la vue est un signe de catastrophe terrible et de mort probable.

Rêver que l'on perd la vue signifie que l'on s'enferme dans un monde étroit et mesquin. Le sujet ne pourra se libérer de son ignorance volontaire que si un événement s'impose à son attention.

ŒUF : rêver que l'on porte un panier rempli d'œufs frais est un signe d'abondance pour la maison.

Si c'est une femme qui rêve, elle manifeste ainsi ses espoirs de mariage, de maternité et de joies familiales. S'il s'agit d'un homme, il exprime la crainte d'une paternité non désirée. Dans tous les cas, le sujet ne doit pas avoir peur de la vie ; sa personnalité est équilibrée et riche de valeurs profondes. Il pourra réaliser ses aspirations et ses désirs. Rêver que l'on porte un panier d'œufs cassés annonce des discordes en famille.

La crainte de ne pas pouvoir réaliser ses aspirations se manifeste chez le sujet. Ce rêve est plutôt féminin.

Pour un médecin, rêver qu'il mange des œufs est un signe d'abondance ; pour les autres, seulement quelques petits avantages ainsi qu'un grand nombre d'ennuis et de soucis causés par des discordes et des querelles.

Dans la plupart des cas, le songe révèle la prédilection du sujet pour un aliment déterminé : ici les œufs. Dans les autres cas, il indique la manifestation de nouvelles forces vivificatrices, sans que le rêveur ait rien fait pour les obtenir.

OISEAU : rêver que l'on voit voler des oiseaux est de bon augure.

Plus le nombre des volatiles est élevé et plus grands seront les bénéfices à espérer.

L'univers du rêveur est riche de volonté, ce qui le portera à accomplir de grandes choses ; il se trouve actuellement dans une période favorable et constructive, surtout intellectuellement.

Rêver d'oiseaux enfermés dans une cage est signe que l'on fait beaucoup d'efforts inutiles.

Ce rêve traduit souvent la soif de liberté de la personne qui rêve. Le sujet est amer car il n'a pu atteindre les buts qu'il s'était fixés.

OMBRE : rêver que l'on s'abrite des rayons du soleil à l'ombre d'un arbre annonce la protection d'un ami puissant. Il existe chez le rêveur un sentiment nouveau (quelquefois bon et quelquefois mauvais) dont il sous-estime l'importance. Ses racines plongent profondément en lui. Ce sentiment devra être analysé.

OR : rêver que l'on trouve de l'or annonce la perte d'une somme d'argent.

Etant donné la valeur que la société accorde à l'or, il est

normal qu'il devienne un symbole onirique familier aux indigents ainsi qu'aux personnes qui entretiennent des relations douteuses. Dans les deux cas, le rêveur se sent attiré par l'augmentation de sa richesse et son inconscient lui donne raison.

Rêver que l'on manipule de l'or est un signe de richesse dilapidée.

Le rêveur est en train d'apprendre à ses dépens que la vie exige souvent le sacrifice de certaines valeurs mineures pour atteindre aux plus importantes. Il se trouve probablement sur le point de faire un grave choix qui lui imposera des renoncements et lui fera comprendre que l'existence doit être affrontée avec un esprit moins matérialiste.

ORAGE : rêver que l'on se trouve pris au milieu d'un violent orage annonce une menace, un danger pendant un voyage ou un outrage que l'on subira très bientôt.

Le rêveur traverse une période d'indifférence et d'apathie. Rien ne peut vraiment l'intéresser, il manque de motivations et d'enthousiasme. Il faut souhaiter qu'un choc émotif vienne le troubler et mette ainsi fin à une situation qui pourrait s'avérer très dangereuse.

ORANGE : rêver que l'on voit des oranges dans un panier présage la mort d'une personne connue.

Généralement, le rêveur est un individu chanceux, simple et discret ; il sait voir et saisir les aspects positifs de l'existence et en profiter.

Rêver que l'on mange des oranges rouges signifie que l'on obtiendra la reconnaissance de ses supérieurs.

Le sujet sait jouir intensément des bienfaits que la vie lui apporte et affronter avec un enthousiasme confiant les difficultés qu'il rencontre inévitablement. C'est pourtant un être instinctif qui vit de façon trop intense et trop passionnée.

OREILLES : rêver que l'on voit des oreilles géantes dans sa propre maison indique la présence de serviteurs fidèles et obéissants.

Le rêveur trahit par cette vision onirique sa crainte de voir découverte une relation ou une intrigue qui sert ses ambitions dont personne n'est au courant.

Rêver que l'on a les oreilles coupées révèle la découverte d'un secret.

Le rêveur est atteint d'une étrange psychose qui peut parfois disparaître en peu de temps et, d'autres fois, rester active pendant des années, voire toute une vie. Il souffre d'angoisses inexplicables liées à des images remontant à l'enfance (en effet, quel est l'enfant qui, une fois au moins, ne s'est entendu dire : "Si tu continues je vais te couper les oreilles" ?). Ce rêve, inspiré d'un passé lointain, suscite chez le sujet la crainte inconsciente d'avoir accompli une action condamnable.

OS : rêver que l'on voit de nombreux os entassés est un présage de mésaventures et d'angoisses.

Le rêveur se trouve dans un état de grave dépression. Tout espoir s'est éteint en lui et il s'aperçoit que les illusions sont inutiles. Sa tristesse et son scepticisme s'ajoutent à la crainte de perdre le peu qu'il possède et qui lui tient à cœur.

Rêver que l'on ronge un os avec plaisir est un signe de misère imminente.

Le songe traduit pour une bonne part un désir réel du rêveur ; pour le reste, il provient de tendances héréditaires ou de lectures de jeunesse particulièrement macabres.

OURAGAN : rêver d'un ouragan, d'un cyclone ou d'une violente tempête est un présage de disputes en famille.

Le rêveur traverse une période de crise dans le domaine des affections familiales.

OURS : rêver que l'on rencontre un ours qui nous attaque est un signe de persécution.

Chez le rêveur, les impulsions naturelles, probablement passionnelles, sont latentes. Elles ont de lointaines origines et, réprimées par trop de rationalisme, risquent de se transformer en instincts destructeurs. La conscience ne sera jamais un frein pour les passions irrésistibles et morbides du sujet.

OUVRIER : rêver que l'on est un ouvrier et que l'on travaille dans une usine est un signe de profit.

Le rêveur se trouve dans une période de transformation. Il ne faut donc pas qu'il s'étonne de devoir renoncer à certaines choses plaisantes. Se forger une personnalité plus dynamique exige des sacrifices.

P

PAILLE : rêver que l'on est couché sur de la paille est un signe d'emprisonnement.

Pour le rêveur, ce songe est un symptôme de manque de confiance en soi. Il ne croit guère que son argumentation puisse être persuasive et est toujours préparé à la déception, ce qui est la conséquence de ses résultats négatifs.

Rêver que l'on porte sur ses épaules une hotte remplie de paille est un indice de prospérité.

La vision signale au rêveur qu'il est en train de perdre son temps.

Esclave du conformisme, il réprime ses élans les plus spontanés et se refuse à lui-même cette liberté que réclament tous les autres. Le rêve l'invite à se renouveler car moralement, il est déjà vieux.

Rêver que l'on voit brûler de la paille annonce une perte d'argent.

Il est trop tard pour s'apercevoir que la vie crée des exigences, tant envers soi-même qu'à l'égard de la communauté. C'est ce que nous apprend ce rêve, vision typique des vaincus, des résignés qui excluent par avance toute possibilité d'amélioration.

PAIN : rêver que l'on se nourrit de pain blanc et frais est un signe de chance prochaine.

Le fait que l'attention du rêveur se fixe sur une qualité de pain déterminée dénote souvent sa peur de la misère et un état d'incertitude dû au souvenir de temps difficiles.

Rêver que l'on se nourrit de pain rassis est un indice de fatigue et d'ennui.

La manière de raisonner et de juger du rêveur pèche par trop de simplisme ; le sujet est un être surtout pratique, qui accorde de la valeur seulement aux aspects matériels de l'existence (richesses, affaires, divertissements).

PALAIS (et IMMEUBLE) : rêver que l'on habite dans un palais moderne est un signe d'orgueil mal placé.

Le rêveur fait montre d'un esprit dynamique et pratique, mais il néglige trop la tradition, qui est la grande force de la culture, de la sagesse et de l'expérience.

Rêver que l'on habite dans un vieux palais ou un vieil immeuble est synonyme de misère et de douleur.

L'habitation représente le monde intérieur du sujet. Si celui-ci rêve qu'il habite dans un vieux palais, cela signifie qu'il doit renouveler son bagage spirituel, intellectuel et sentimental. Il est excessivement attaché au passé, dont il cultive non seulement les valeurs réelles mais aussi les préjugés.

Rêver que l'on se rend au Palais de Justice annonce tristesse et inquiétude pour le rêveur et sa famille.

Le sujet rêvant qu'il se rend au Palais de Justice est considéré comme une personne capable et riche de valeurs intérieures mais, hélas, son subconscient est en pleine décadence car il a étouffé ses meilleurs instincts. Il doit malheureusement savoir que cela n'est pas un signe d'ordre, mais plutôt le symptôme d'une absence alarmante de valeurs positives.

PAON : rêver que l'on est un paon et que l'on fait la roue annonce des discussions familiales provoquées par l'orgueil.

Le rêveur est exubérant et enthousiaste. Il aime intensément la vie et admire les beautés de la nature et de l'art. En somme, il s'agit d'un poète qui s'ignore.

Rêver que l'on entend un paon chanter traduit souvent la vanité et la sottise.

Le rêveur admire ce qui est voyant et extraordinaire. Ainsi est-il enchanté, enthousiasmé, fasciné par des manifestations éphémères, alors qu'il ne sait pas voir les choses les plus simples, qui sont aussi les plus durables.

PAPILLON : rêver que l'on poursuit un papillon et qu'on le capture annonce un amour aussi soudain qu'inconstant. L'instinct sexuel du rêveur se manifeste dans ce songe, sous une forme évidemment symbolique. Cette vision a surtout un caractère prémonitoire pour les jeunes filles.

PARADIS : rêver que l'on est au paradis annonce des plaisirs violents et passagers.

Lorsque le rêve n'a pas de références sexuelles, il indique, chez le rêveur, la faiblesse de caractère, le peu de goût au travail ainsi qu'un fort désir de fuir les responsabilités qui découlent de ses propres actions.

PARALYSIE : rêver que l'on est atteint de paralysie annonce une période calme dans les affaires.

Un événement extérieur a provoqué chez le sujet un traumatisme non négligeable. Le rêveur enregistre un état insolite d'insatisfaction et de malaise. Il en est si profondément affecté que, pour éviter le retour de cette sensation désagréable, il refuse désormais d'affronter la vie, avec son cortège d'incertitudes et de responsabilités.

PARAPLUIE : rêver que l'on marche avec un parapluie ouvert est signe que l'on a de fidèles amis.

Le sujet n'a pas le courage de ses propres actions, il est lâche et égoïste. Alors qu'il garde pour lui toutes ses initiatives positives, il fait supporter aux autres le poids de ses actes négatifs, accablant particulièrement ceux qu'il considère comme des timides et dont il sait qu'ils ne pourront réagir ni faire valoir leurs droits.

PARDON : rêver que l'on pardonne à quelqu'un ou que l'on manifeste sa clémence envers autrui, annonce des peines et des angoisses.

Il n'est pas rare que le rêveur soit la proie d'un fort complexe de culpabilité ; le songe reflète sa situation réelle. Il désire régler un différend dans lequel, bien souvent, il n'est pour rien. La signification de ce rêve est liée aux problèmes personnels du sujet.

PAYSAGE : rêver d'un paysage prédit la solution d'une affaire importante, depuis longtemps en suspens.

Si le paysage est connu et représente un souvenir, le rêve n'a aucune valeur symbolique. Si le paysage rappelle un lieu que le rêveur a connu étant jeune, c'est que ce dernier recherche la sérénité et l'optimisme, car certaines de ses passions l'effraient. Il se sent faible, il a besoin d'aide et de protection.

PAYSAN : rêver que l'on est un paysan et que l'on travaille la terre est un signe d'abondance.

Le rêveur accorde trop d'importance à la culture et au monde intellectuel. Il néglige avec trop de légèreté tout ce qui est simple et naturel, mais qui représente pourtant un patrimoine irremplaçable.

PEAU : rêver de son propre épiderme, dans n'importe quelles conditions, est un signe de trahison.

Il s'agit d'un songe typiquement féminin qui reflète (si la femme est jeune) des préoccupations sentimentales et la crainte de ne plus être attirante. Si la rêveuse n'est plus très jeune, cette vision exprime la peur de vieillir.

PEINE : rêver que l'on est condamné à une peine quelconque indique que l'on a de grandes chances d'obtenir de l'avancement.

Rêver de peines ou de condamnations, quelles qu'elles soient, reflète un remords inavoué qui n'est pas causé par des actes méritant un châtiment mais par un comportement qui fut assez douteux. Le rêveur ne cherche pas à comprendre et à excuser son prochain ; il se laisse plutôt guider par son intolérance, son irritation et même par une pointe de haine. Souvent, ce sentiment est si bien déguisé qu'il n'est même pas perçu par le sujet, lequel est aveuglé par la passion et l'intésêt.

Rêver que l'on est condamné à mort est un signe de prospérité.

Le rêveur a renoncé à assumer ses responsabilités. Il s'est isolé du reste des hommes, même s'il vit parmi eux. Ce comportement provoque en lui un certain remords, lorsque sa conscience est enfin libérée des œillères de l'intérêt.

PENDU : rêver que l'on est pendu ou que l'on voit un pendu est un signe de surprise désagréable.

Le sujet a renoncé à s'insérer dans la vie collective et à en accepter les devoirs et les servitudes. Il vit à l'écart et regrette vivement cette attitude. Il faut qu'il clarifie la situation et se réconcilie avec ses semblables.

PÈRE : rêver de son père — surtout s'il est décédé — est un présage d'aide immédiate de la part d'une personne que l'on avait oubliée depuis longtemps.

La vision onirique du père n'est pas fréquente et son apparition indique que le rêveur a un besoin extrême de protection et d'affection. Il est esclave de l'éducation qu'il a reçue et ne sait ni ne veut se libérer de l'influence des traditions qui le rendent méfiant et introverti.

Rêver que son propre père est plus sévère et plus autoritaire qu'il ne l'est en réalité est un signe d'affront reçu d'amis ou de connaissances.

L'apparition du père n'est pas une chose normale et, lorsqu'il prend une attitude sévère, le songe dénote de la part du rêveur un complexe de culpabilité très accentué ; il n'a pas le courage de se libérer des liens qui l'empêchent, dans la plupart des cas, de se forger une personnalité complète, mûre et indépendante.

PERLE : rêver de perles est un signe de tristesse et de déception.

Il s'agit d'un rêve typiquement féminin qui traduit un désir de mariage et une soif de rapports affectifs. Le songe exprime en soi la crainte de la femme de ne pas pouvoir réaliser ses ambitions, souvent pour des causes très banales.

PEUR : avoir peur en rêve n'est pas un bon présage. La peur reflète chez le rêveur la crainte de voir découvert un secret jalousement gardé. Dans ce cas, la crainte est fondée. Si les angoisses s'intensifient, il faut que le sujet ait recours aux soins d'un psychanalyste.

PHÉNIX : rêver que l'on voit un phénix (oiseau merveilleux qui, selon la légende, renaîtrait de ses cendres) symbolise la réalisation de souhaits.

Le sujet, idéaliste par nature, est sur le point de subir une transformation positive. Un amour, une vocation, un idéal naissent en lui et l'influencent favorablement ; ses sentiments se font plus élevés et parviennent à maîtriser les instincts auxquels il devait trop souvent se soumettre.

PHTISIE : rêver que l'on souffre d'une phtisie annonce la guérison d'une maladie grave.
Si le rêve reflète l'état de santé réel du rêveur, il ne nécessite aucune explication particulière. Dans les autres cas, la phtisie représente pour l'individu une situation morbide, des passions irrésistibles.

PIE : rêver d'une pie qui volette au-dessus d'un champ est un mauvais présage.
La pie indique que le rêveur s'épuise dans une mauvaise direction et qu'il devra, par conséquent, tout reprendre depuis le début. Sa vie intérieure tout entière est paralysée par une fixation obsessionnelle qui le tourmente et pour laquelle il ne parvient pas à trouver de solution.

PIED : rêver que l'on a un pied malade et douloureux indique qu'une affaire intéressante est bien engagée.
Le progrès du rêveur, sa réussite sociale, sont gênés par une attitude négative que seul un examen attentif peut révéler, lui permettant ainsi de la combattre et de l'anéantir.
Rêver que l'on a les pieds extrêmement sales est un signe de tourments et d'ennuis familiaux.
Le rêveur a un esprit complexe et tortueux qui rend difficile son insertion dans la vie sociale. Il doit, par conséquent, affronter l'existence avec plus de simplicité.
Rêver que l'on est amputé des pieds est un signe de peine et d'ennuis pour le rêveur.
Le sujet est un sentimental qui se laisse trop souvent guider par son cœur, même lorsque la raison s'y oppose nettement. C'est pourquoi il ne peut comprendre certaines réactions injustifiées à l'égard de son comportement.

PIÈGE (v. TRAPPE)

PIRATE : rêver que l'on est un pirate doit inciter à la méfiance vis-à-vis de ses amis.
Ce rêve est typiquement masculin. Le rêveur est un timide, tourmenté par un fort complexe d'infériorité, et sa transformation onirique en personnage téméraire lui donne le sentiment de force qui lui fait défaut quotidiennement. Lorsque ce rêve est fait par une femme, il n'a pas de valeur symbolique car il est simplement le reflet d'un état d'appréhension ou de peur éprouvé pendant la journée.

PISTOLET : rêver que l'on manipule un pistolet indique une prise de position concernant des amis.
Le rêveur est sur le point de prendre une décision importante. Le moment est venu d'agir. Un facteur extérieur le pousse à intervenir rapidement et surtout énergiquement.

PLAGE (v. SABLE)

PLANÈTE : rêver d'une planète lumineuse qui tourne dans le ciel annonce avec certitude une grande chance.
Il s'agit d'un rêve plutôt rare à signification favorable. En effet, après une période d'indécision, d'incertitude et de découragement, une période de misère même, le rêveur va atteindre son but. Ce rêve précède souvent de grands changements.

PLANTES : rêver que l'on se trouve dans un jardin où de nombreuses plantes créent de l'ombre est un signe de tranquillité et de petite richesse pour la famille.
Le rêveur traverse une période de découragement qui ne tardera pas à prendre fin car son tempérament dynamique et exubérant le pousse à se consacrer à une nouvelle activité.

PLEURER : rêver que l'on pleure annonce une bonne nouvelle.

Le rêve est lié à des émotions profondes éprouvées pendant la journée et il ne nécessite donc pas d'explications particulières.

Rêver que l'on pleure la mort d'une personne chère annonce des joies et des satisfactions.

Lorsqu'il ne correspond pas à la réalité, le songe traduit des déceptions qui ont eu lieu ou que l'on redoute. Il peut aussi être un indice de solitude, d'amertume et d'inconfort.

Rêver que l'on pleure de joie annonce la tranquillité et la fin des préoccupations et des problèmes du sujet.

Lorsque le rêveur pleure de joie, il ne fait qu'exprimer sa grande nostalgie du passé.

PLUIE : rêver d'une petite pluie est un signe de gain et de profit pour le paysan et un signe de difficultés financières pour le commerçant.

La mélancolie, engendrée par les souvenirs et la solitude, est à l'origine du rêve. Le sujet qui erre sous la pluie éprouve un sentiment de malaise et de mécontentement ; il n'a pas confiance en lui. Ce rêve peut aussi être déterminé par une maladie ou un état fébrile. Si la pluie cesse brusquement, elle annonce des espérances pour la vie future, espérances qui d'ailleurs comprennent une bonne part d'illusions.

Rêver d'une pluie qui tombe à verse est un signe de danger, d'ennuis et de difficultés.

L'averse indique que le rêveur est soucieux ; il craint de rencontrer un obstacle plus ou moins imprévu.

Rêver d'une tempête accompagnée d'une pluie très violente est un signe de soucis.

Le rêveur, qui assiste à la tempête, a un tempérament apathique et il regarde avec indifférence la destruction de sa

volonté et de sa personnalité. Si, au contraire, la vision onirique provoque la panique du sujet, c'est qu'elle réveille la
crainte de châtiments.

POIGNARDER : rêver que l'on est poignardé par sa femme,
par un ami ou par un parent proche est un présage de
bonne santé.
Le rêveur nourrit une passion secrète pour la vie militaire ;
il est porté aux aventures mouvementées et, bien qu'il ne
soit plus tout jeune, réagit comme un enfant, ne manquant
à aucun prix un film de cape et d'épée.
Celui qui, en rêve, voit ses parents ou ses amis poignardés
peut être certain que, finalement, ceux-ci jouiront d'une
bonne santé et obtiendront bonheur et richesse.
Le rêveur a besoin qu'une personne amie lui donne confiance dans la vie, car son comportement, quelquefois hostile, rend difficiles ses rapports avec les autres.

POILS : se voir en rêve recouvert de poils est un signe de
longue vie.
Si c'est une femme qui rêve, elle fera bien de féminiser
son caractère car elle a des tendances un peu trop mascu-
lines. Si c'est un homme, il devra se montrer plus simple,
plus naturel et plus instinctif.

POIRE ou POIRIER : rêver de poirier signifie que l'on
devra supporter des tracas provoqués par des femmes.
Ses instincts, freinés par une excessive rigueur, exaspèrent
le sujet, qui pourrait être porté à des attitudes morbides et
à de dangereux coups de tête.

POISON : rêver que l'on est empoisonné signifie que l'on
sera bientôt atteint d'une maladie contagieuse.
Le rêveur souffre de la manie de la persécution ; il ne voit

partout que pièges et tromperies. Le songe reflète la situation qui s'est créée. Si le rêve devait se répéter il lui faudrait sans tarder recourir aux soins d'un bon psychanalyste.

Rêver que l'on empoisonne quelqu'un est le présage de la mort d'un ami.

Si le rêveur se voit administrer du poison à une autre personne, c'est qu'il croit pouvoir atteindre son but en recourant à la tromperie et veut punir de façon sournoise ceux qu'il soupçonne de lui tendre des pièges. Si le rêve est fait par une femme, il trahit ses craintes à propos de rapports illégitimes.

POISSON : rêver que l'on voit quelqu'un qui pêche est un signe de trahison. Tous les accessoires et filets de pêche dénotent la méfiance, la ruse et la tromperie ; il est donc dangereux de voir les autres les utiliser.

Le poisson est presque toujours le symbole de la sexualité. Le rêveur se consacre actuellement à de nouvelles activités qui influencent et ébranlent son univers affectif. Se trouver parmi des poissons est un signe de désirs inassouvis, surtout si le sujet rêvant est une femme.

Rêver que l'on pêche de petits poissons indique une réussite limitée en affaires.

La vision onirique représente les instincts sexuels du rêveur. Il devra comprendre que la raison peut rendre l'existence trop aride en la contrôlant de manière systématique.

Rêver que l'on pêche au lancer des poissons très étranges est un signe de méfiance, de ruse et de tromperie. Comme précédemment, il est donc dangereux de les voir pêcher par les autres.

Ce rêve est souvent très utile car il indique les aspects négatifs du caractère du sujet. Ceux-ci pourront être freinés par un effort de volonté mais jamais complètement vaincus.

POLICHINELLE : rêver que l'on est un polichinelle ou une marionnette quelconque annonce une dispute en famille. Le rêveur est un grand vaniteux habitué à dicter sa loi en toutes circonstances, sur tous les sujets, même s'ils lui sont inconnus ; il ne s'aperçoit pas que ce défaut le rend totalement ridicule et que ses actions sont mal jugées par les autres.

POLICIER : rêver que l'on voit un policier dans l'exercice de ses fonctions annonce un gain à la loterie.
Le rêveur est un anticonformiste qui transgresse facilement les règles conventionnelles imposées par la vie en société, tout en respectant les principes de la morale et de la tradition.
Rêver que l'on est arrêté par un policier est un signe de danger.
Le rêve, lorsqu'il ne reflète pas des faits réels, est le symbole d'une rébellion contre le milieu dans lequel le sujet évolue. Cette rébellion présente des aspects positifs, surtout à propos de problèmes sociaux.

POMME : rêver que l'on mord dans une pomme bien colorée est un signe de santé et de bien-être.
La pomme est le symbole de la vie et de la procréation. Le rêveur a le vif désir de donner naissance à un enfant et cela indique chez lui son désir de collaborer à la continuité de l'espèce humaine.

POMPIER : rêver que l'on est un pompier et que l'on maîtrise un incendie annonce une période de stagnation dans le travail.
Le songe traduit quelquefois un désir provenant de l'enfance. D'autres fois, il reflète de forts instincts passionnels qui tendent à détruire la personnalité du sujet ; ceux-ci agis-

sent d'une manière si angoissante que d'authentiques conflits peuvent voir le jour. La raison peut se trouver dans l'impossibilité d'intervenir et d'agir comme elle le voudrait.

PONT : rêver que l'on traverse un pont annonce la solution heureuse d'un problème juridique.

Le rêveur est un être incertain qui, après avoir résolu quelques problèmes, hésite encore sur des décisions qui exigent une action immédiate. Il a la curieuse habitude de repenser et de remettre en cause tous les motifs qui ont engendré le problème. Seule la raison peut lui fournir les forces qui pourront le libérer de la situation angoissante. Rêver que l'on est sur un pont suspendu au-dessus d'un abîme et qu'on le sent s'écrouler sous ses pieds annonce une situation difficile et des troubles probables.

Le rêveur se trouve dans un tel état d'esprit qu'il est contraint, malgré lui, à chercher dans les tréfonds de sa conscience le motif qui donne lieu à cette situation de conflit. D'autres fois, la vision reflète un complexe datant de l'enfance ou de la jeunesse du sujet ; une timidité marquée ou le désir de surmonter ses difficultés.

PORC : rêver d'un troupeau de porcs est synonyme de paresse et d'incapacité de décision.

La personnalité du rêveur est caractérisée par un attachement positif à la vie ; il est pourtant incapable de manifester ses sensations.

PORT : rêver que l'on se trouve dans un port ou que l'on y aborde indique la découverte d'un secret.

Le rêveur désire s'évader de la vie quotidienne, mais il ne peut se résoudre à le faire ; il a peur de l'inconnu et, en même temps, éprouve d'immenses regrets quant aux occasions perdues.

PORTE : rêver que l'on se tient devant une porte fermée annonce une stagnation momentanée dans ses propres affaires. La porte représente en général le progrès des idées. Le rêveur se méfie donc instinctivement des idées nouvelles et les refuse.

Rêver que l'on se trouve devant une porte ouverte qui donne sur une chambre luxueusement meublée, est le symbole d'une certaine aisance assez récente.

Le sujet, expansif de nature, comprend l'importance des nouvelles idées et des nouveaux sentiments qui se manifestent en lui ; il les accepte et les assimile volontiers, voire avec enthousiasme.

PORTRAIT : rêver que l'on voit un portrait, suspendu au mur de sa chambre, est symbole de longue vie pour la personne représentée.

Les portraits reproduisent généralement des personnes que le rêveur connaît et la vision n'a pas beaucoup de valeur. Le sujet qui admire avec satisfaction son propre portrait accroché à un mur porte en lui un grand désir de succès et un complexe de supériorité.

POTAGER : rêver que l'on se trouve dans un jardin potager très verdoyant indique qu'un ennemi puissant tente de faire échouer certaines initiatives personnelles.

Le songe représente la volonté de travail du rêveur ; celui-ci est de ceux qui ne reculent pas devant les difficultés.

POTENCE : rêver que l'on est exécuté sur une potence signifie que l'on obtiendra certains honneurs, d'autant plus importants que la potence ou l'échafaud seront grands.

Le rêveur a volontairement renoncé à assumer les responsabilités qui lui incombaient. Il a laissé de côté ses devoirs sociaux et se retrouve isolé, tout en vivant parmi ses semblables. Il évolue dans le monde mais ne parvient pas à se mêler vraiment aux autres car il se sent coupable de trahison.

POULAILLER : rêver que l'on se trouve dans un poulailler, avec de nombreuses poules, annonce des bavardages qui pourraient troubler l'atmosphère familiale.
Le sujet est dépourvu de noblesse d'âme, d'idéal, d'enthousiasme ; il se contente d'une vie médiocre et étroite, veillant seulement à sa tranquillité.
Rêver que l'on est dans un poulailler, au milieu des poulets qui volettent et caquettent, est un signe de légèreté inutile. Si, par hasard, le rêveur se trouve dans un poulailler où les volatiles sèment une grande confusion, cela signifie qu'il a des soucis mesquins dont il exagère la portée. Il se peut qu'il soit préoccupé par des choses futiles et en néglige d'autres, bien plus importantes.

POULE : rêver que l'on voit des poules gratter le sol d'une cour de ferme est un signe de fécondité et d'aisance.
Le rêveur est trop pris par ses soucis quotidiens ; il a tendance à grandir les faits et à se tourmenter inutilement. Si son attitude ne change pas, il ne saura s'élever, ni dans le domaine de la pensée ni dans celui des sentiments.

POUPÉE : rêver que l'on joue avec une poupée et qu'on la "dorlote" annonce un plaisir éphémère.
Un désir puéril de tendresse tourmente le rêveur.

PRÉ : rêver que l'on est dans un pré, parmi les herbes et les fleurs, est un signe de gain important.
Les prés reflètent souvent chez le rêveur le souvenir de son enfance insouciante. C'est un être sentimental et heureux qui sait apprécier avec simplicité les petites joies de la vie.

PRÊTRE : rêver d'un prêtre signifie que l'on recevra une décoration.

L'apparition d'un ecclésiastique réveille un sentiment de culpabilité chez le rêveur. D'ordinaire, les prêtres font naître la crainte car ils apparaissent en rêve pour nous reprocher quelque chose et nous admonester.

Rêver qu'un prêtre se promène devant la porte de sa maison indique que l'on atteindra bientôt une bonne position sociale. Chez le rêveur se manifeste le désir d'arriver à un compromis entre instincts et raison. Il lui faudra, pour atteindre ce but, beaucoup de volonté et une immense patience.

PRIÈRE : rêver que l'on prie est un signe de joie, d'honneurs, de richesse et de tranquillité spirituelle.

Si le rêveur est attiré par la vie monastique, la vision ne nécessite pas d'explication. Mais si le sujet n'est pas croyant, le songe révèle qu'il n'a pas la conscience tranquille et signale un complexe de culpabilité plus ou moins justifié.

PRINTEMPS : rêver que l'on est au printemps et que l'on voit des arbres en fleurs est le symbole d'un nouveau bonheur dans le domaine sentimental.

Ce rêve peut très bien symboliser un regret du rêveur pour sa lointaine jeunesse. Il n'est pas rare qu'il reflète un état d'âme de romantique incorrigible. Si la vision devait se répéter avec une certaine fréquence, elle indiquerait chez le sujet un renouvellement des forces psychiques, encore imperceptible.

PRISON : rêver que l'on est en prison est un signe d'inimitié funeste.

Le rêveur peut être prisonnier de ses remords concernant des attitudes blâmables ou des actions inavouables qu'il tient cachées depuis longtemps ; dans ce cas, le rêve, dominé par l'angoisse, annonce une arrestation imminente. Il peut aussi montrer que les faiblesses et les défauts se répètent et qu'il est donc opportun de recourir à l'aide de sa propre conscience.

Rêver que l'on voit une prison et des prisonniers est un signe de fatigue excessive.

Le rêveur ne s'intéresse pas aux questions sociales ; il se laisse trop facilement emporter par son intolérance, son irritation et peut-être même par son caractère envieux.

Rêver que l'on sort de prison est un signe de guérison, c'est aussi un espoir concernant un prochain héritage ou la possibilité d'un avancement dans le travail.

Un mauvais comportement ou une atteinte à la liberté des autres procure au rêveur, bien qu'il ne s'en rende pas encore compte, un certain remords. Même si les apparences peuvent sembler favorables, le rêveur a mauvaise conscience car ses actions avaient des causes inavouables.

PROCÈS : rêver que l'on participe à un procès, en qualité de juge, annonce le renouveau d'une vieille amitié.

Bien souvent, les aspects négatifs du caractère sont dénoncés par la conscience elle-même. Ils tentent de se défendre et le sujet devient le magistrat qui doit les tolérer ou les condamner. C'est le rêve typique de ceux qui voient une paille dans l'œil d'un ami et ne voient pas la poutre qui est dans le leur.

Rêver que l'on assiste à son propre procès, dans un tribunal, indique un changement d'état civil si c'est une femme qui rêve, une perte de biens si le rêveur est un homme.

Le rêveur approuve sa conduite, même si les résultats obtenus ne sont pas satisfaisants. En fait, les apparences peuvent lui être contraires mais il a la conscience tranquille car ses intentions étaient bonnes.

PROCESSION : rêver que l'on voit une procession est le signe qu'un danger a été écarté.

Une exigence nouvelle s'impose au rêveur. Il veut mettre en lumière les valeurs religieuses qu'il avait oubliées depuis fort longtemps, dans le but d'enrichir la partie spirituelle de sa personnalité.

PRUNE : rêver que l'on mange des prunes est un signe de gaspillage d'argent.

Le rêveur donne trop d'importance aux aspects matériels de l'existence. Il est attiré par eux et se contente de satisfactions vulgaires. Par contre-coup, il néglige certains éléments bien plus nobles et bien plus importants.

PUCES : rêver que l'on est importuné par une colonie de puces annonce des ennuis et des soucis. Pourtant si l'on réussit, toujours en rêve, à s'en débarrasser, cela signifie que l'on triomphera des difficultés qui s'opposent à son propre bonheur et que l'on viendra à bout du mauvais sort.

Le rêveur exprime son désir anxieux de se libérer de quelque chose qui, aux yeux de ses semblables, pourrait paraître désagréable. Il voudrait garder secrets certains faits relatifs à son comportement et en effacer la trace. La présence des puces peut aussi refléter la crainte d'une maladie.

PUITS : rêver que l'on voit un puits, rempli d'eau limpide, près du seuil de sa maison annonce une augmentation des biens familiaux. Les problèmes que le rêveur se pose, et qu'il ne réussit pas à comprendre parfaitement, affleurent dans ce songe. En règle générale, le sujet cherche à se libérer d'un mauvais souvenir ou des conséquences d'une erreur de jeunesse. Le puits représente pour un homme la crainte de ne pas savoir s'imposer dans le domaine sentimental.

Rêver que l'on voit devant sa maison un puits rempli d'eau

putride est un heureux présage, qui peut toutefois se changer en mauvais augure si le rêveur voit des personnes étrangères y puiser de l'eau.

Les forces subconscientes du sujet sont en train de devenir trop tyranniques et menacent la liberté de sa conscience. Il est inutile qu'il cherche à reconstruire sa vie sur de nouvelles bases, car il ne veut pas renoncer à ses anciens comportements, à ses mauvaises habitudes, à ses sentiments morbides et difficilement contrôlables.

R

RADEAU : rêver que l'on s'accroche à un radeau est un signe de salut.

Cette vision doit inciter le rêveur à la réflexion, à un examen introspectif profond. Ce songe laisse au réveil un sentiment aigu de malaise et d'appréhension.

RAISIN : rêver que l'on cueille des grappes de raisin est un signe de joie et de chance.

La vie du rêveur n'est pas guidée par le raisonnement mais par des impulsions sentimentales. Ce trait de caractère représente le principal atout de sa personnalité, mais il devra se surveiller attentivement afin d'éviter les déceptions et les dangers.

Rêver que l'on se nourrit abondamment de raisins est signe que l'on recherche l'ivresse, les plaisirs.

Le sujet est soumis à tous les aspects matérialistes et même si sa raison, soutenue en cela par l'éducation reçue, peut réussir avec un peu de bonne volonté à maîtriser ses mauvais instincts, ceux-ci ne disparaîtront jamais totalement.

RAJEUNIR : rêver que l'on rajeunit annonce une naissance dans la famille.

C'est le rêve caractéristique des femmes vieillissantes. Il ne réclame aucune explication, mais devrait mettre la rêveuse en garde contre un comportement qui ne correspond plus guère à son âge.

RAMER : rêver que l'on rame est synonyme de but atteint. Le rêveur cherche de nouvelles voies. Il n'est pas satisfait de sa situation actuelle mais demeure indécis et tourmenté par trop de craintes.

RASOIR : rêver que l'on se blesse avec un rasoir est un signe de dispute violente avec des membres de la famille.
Le sujet refuse systématiquement d'adopter une ligne de conduite qui pourrait l'amener à un parfait équilibre entre raison et instincts.

RÉCOLTE : rêver d'une bonne récolte est un présage de chance et d'abondance.
Le songe est favorable car, psychiquement, le rêveur est riche. Il récolte désormais les fruits de son activité : succès dans le travail et réalisation des aspirations profondes. Toutefois, il s'agit rarement de succès matériels.
Rêver d'une maigre récolte annonce une perte d'argent dans des affaires hasardeuses.
Le rêveur a négligé, par légèreté surtout, sa propre personnalité, la meilleure part de lui-même, et il s'aperçoit aujourd'hui qu'il a une vie intérieure pauvre et inactive.

RELIGIEUSE : rêver que l'on se trouve en présence d'une religieuse signifie que l'on obtiendra protection et consolation à la suite d'un chagrin.
Le sujet traverse actuellement une période de rébellion contre la religion. Il est accablé par les préoccupations matérielles, les passions et les intérêts les plus sordides. Ses instincts tentent d'étouffer son sentiment religieux, relégué dans un coin de sa conscience. Il doit donc réfléchir atten-

tivement car ce songe est caractéristique de ceux qui attribuent leurs échecs à la fatalité, et qui se servent de la religion par opportunisme, pour en tirer des avantages personnels, sans jamais lui reconnaître sa valeur authentique.

RENONCEMENT : rêver que l'on renonce à une chose à laquelle on tenait beaucoup indique la perte d'avantages et une baisse de la considération de personnes influentes. Une pudeur et un orgueil excessifs caractérisent le rêveur. Pourtant, si le renoncement le rend heureux, le songe annonce l'exaucement d'un vœu ou la solution d'un problème délicat.

REPTILE (v. SERPENT)

RETARD : rêver que l'on arrive trop tard pour prendre un train, un avion annonce une petite joie passagère résultant d'une victoire au jeu.
Les rêves qui représentent cette situation précèdent généralement le réveil du sujet. Ils reflètent des faits courants, des actes quotidiens (comme le lever en catastrophe, etc.) et n'ont donc aucune signification particulière. Dans la plupart des cas, il s'agit d'un expédient utilisé par le rêveur pour prolonger le plaisir du sommeil. Malgré cela, c'est un symptôme de paresse, de faiblesse et d'une tendance à l'inertie à laquelle la conscience s'oppose en vain.

RÊVE : rêver que l'on est en train de... rêver est une manifestation onirique exceptionnelle. Elle annonce une victoire au jeu.
Le rêveur est la proie facile des illusions et, même en rêve, il est optimiste et superficiel. Il espère que ses difficultés disparaîtront comme par enchantement.

Si le rêve se présente sous une forme terrifiante, il prédit des espoirs inutiles.

Le songe se produit au moment où le rêveur doit accomplir un pas décisif qu'il redoute depuis longtemps. Il se peut aussi que le sujet ait été fortement impressionné par un événement réel survenu pendant la journée, et qui a trouvé en lui un terrain favorable pour développer de l'angoisse.

RIDES : rêver que son propre visage est sillonné de nombreuses rides signifie que l'on gardera un visage jeune jusqu'à un âge avancé.

La crainte de vieillir est plutôt une préoccupation féminine qui reflète chez le sujet la crainte de ne plus plaire à la personne aimée. Si le rêveur est un homme, il manifeste par ce songe sa peur des soucis quotidiens.

RIVAL : rêver que l'on se trouve en présence d'un rival annonce que l'on va se lancer dans une nouvelle entreprise. Le rival du rêve n'est jamais celui de la vie réelle car le sujet confesse difficilement l'homme qu'il envie vraiment.

RIZ : rêver que l'on mange un plat de riz est signe que ses richesses vont augmenter.

Lorsque le rêve ne dépend pas de causes physiques (en effet, il est souvent déterminé par la faim ou par une "bonne" indigestion), il représente un désir insatisfait.

ROMAN : rêver que l'on écrit un roman annonce une perte de temps ou un gain médiocre.

La plupart du temps, le rêveur s'imagine être un héros ; il cache toujours quelque problème qui pourrait être facilement examiné et résolu. Lorsque le sujet voit les pages de son roman non écrites, il est préoccupé par l'avenir et par les déceptions qu'il lui réserve.

ROSE : rêver que l'on cueille une brassée de roses est signe que l'on recherche plaisirs et divertissements.

On sait que le langage des roses est celui de l'amour. Pour les jeunes filles, il n'est pas rare que ce rêve se manifeste à la veille du mariage. Pour les hommes, les roses révèlent une tendance à la féminité peu compatible avec leur sexe. D'autres fois, observer un rosier et en éprouver du plaisir peut indiquer, chez une femme, une grande délicatesse de sentiments unie à une vocation religieuse.

RÔTI : rêver que l'on mange du rôti doit inciter à la prudence. Ce rêve est l'indice d'un brusque réveil des instincts sexuels. Le rêveur n'a pas de raison d'être inquiet car ces impulsions restent cependant dans les limites de ce qui est normal.

ROUE : rêver d'une roue qui tourne lentement exprime un heureux changement de situation sociale.

Le rêveur fait souvent preuve d'une extrême résignation pour des désirs qu'il croit irréalisables. En ce moment, son activité professionnelle se ressent de son état général de nonchalance et de distraction.

Rêver que le véhicule sur lequel on voyage perd ses roues est un présage de chagrin.

Le rêve est engendré par l'amertume du sujet qui connaît sa faiblesse de caractère, son manque de courage, son inaptitude à prendre des initiatives, sa mollesse pour tenter de réaliser ou d'atteindre des objectifs difficiles.

ROUTE : rêver que l'on marche sur une route large et bien pavée indique la joie, la richesse, la prospérité et la bonne évolution des affaires.

La manifestation onirique dévoile le désir inavoué du rêveur d'améliorer sa situation et d'avoir du succès.

Rêver que l'on marche sur une route sinueuse annonce que l'on se verra intenter un procès.

Le sujet s'alarme pour de petites contrariétés alors que leur solution est beaucoup plus simple qu'il ne le croit. Il est nécessaire qu'il cherche à surmonter ses complexes et à se montrer plus serein.

Rêver que l'on marche sur une route parmi une foule nombreuse annonce des contrariétés avec des parents et des amis. Par ce rêve, le sujet trahit son incapacité complète à dominer les événements — caractère faible, craintif —. La manifestation onirique se révèle d'abord par le désir d'émerger et, ensuite, par l'amère constatation que cela est impossible, car le sujet se trouve toujours au niveau des autres.

RUCHE : rêver d'une ruche et d'un essaim d'abeilles annonce la prospérité en affaires et un gain important.

Le rêveur traverse une excellente période psychique, idéale pour entreprendre de nouvelles activités ou conclure positivement le travail déjà commencé. Il profite, par conséquent, des joies et des satisfactions que son activité professionnelle lui procure.

S

SABLE : rêver que l'on s'enfonce dans du sable indique un danger proche.

Le sable représente la partie la plus profonde du subconscient ; il indique la domination de la conscience par le subconscient. Il s'agit d'une situation momentanée qui exige, pour que les passions et les instincts du rêveur puissent être contrôlés, une intervention décisive de la volonté et de la raison.

Rêver que l'on marche péniblement sur du sable est un signe de gloire éphémère.

Le rêveur craint de ne pouvoir atteindre le but qu'il s'est fixé. Il révèle un état de malaise qui peut avoir des origines diverses.

SAC : rêver que l'on trouve un sac contenant de l'argent signifie que l'on a de la chance au jeu.

Le tempérament réservé du sujet empêche la manifestation, l'extériorisation de sa richesse affective, qui est très grande. Le moment est venu de la communiquer à tout prix, afin qu'elle ne s'atrophie ni ne s'oriente dans de mauvaises directions.

Rêver que l'on perd un sac contenant des objets précieux signifie que l'on devra affronter un scandale.

Le rêveur est avare de ses sentiments et il ne donne pas

aux autres ce qu'ils lui demandent. Il a toujours peur de trop donner et ne pense pas que l'amour repose réellement sur un échange.

Rêver que l'on possède un sac rempli d'objets inutiles annonce du gaspillage et même la misère.

Le rêveur doit remettre de l'ordre dans ses idées. Il doit "ranger aux archives" ses souvenirs déplaisants, ses regrets et ses rancunes, et ne garder à l'esprit que les joies, les espoirs et les projets d'avenir. Il sera opportun de recourir à une personne expérimentée, qui saura décider de ce qui doit être corrigé et de ce qu'il faudra, au contraire, conserver et mettre en valeur.

Rêver que l'on porte sur ses épaules un sac très lourd est un signe d'abondance.

Le sac représente pour le rêveur les dons que la vie lui a consentis depuis sa naissance. Il le sent peser sur ses épaules parce qu'il se laisse gagner par le regret de ce qu'il aurait pu avoir et qu'il a perdu par négligence, paresse et futilité.

SALADE : manger de la salade en rêve annonce une prochaine maladie.

La vie sentimentale du rêveur tend à s'orienter vers des passions contraires à sa nature. Celles-ci seront de courte durée car elles résultent d'un réveil momentané des sens insatisfaits.

SANG : rêver que l'on est souillé de sang est un signe de maladie.

En général, le rêveur a peur d'une maladie, d'un accident ou même simplement d'une discussion qui aurait des conséquences catastrophiques.

Rêver que l'on est blessé et que son sang coule annonce des angoisses et des ennuis.

A la blessure sanglante du rêve correspond une blessure

réelle dont le sujet se plaint : atteinte à sa dignité ou à son orgueil, affront dont les conséquences ne sont pas négligeables.

Rêver que l'on voit des taches de sang sur les murs de sa propre chambre indique que l'on triomphera de ses ennemis. Les taches, et en particulier les taches de sang, représentent la crainte ou la honte de montrer aux autres ses faiblesses ou les travers de sa personnalité.

SANGLIER : rêver que l'on est poursuivi par un sanglier annonce pour les agriculteurs, une période de stérilité, de mauvaises récoltes et de soucis.

Le rêveur est poursuivi par des instincts primaires. Sa conscience et sa dignité même les fuient, mais ils continuent à le persécuter avec insistance. Le sujet cède peu à peu et cherche dans l'éducation qu'il a reçue la force nécessaire pour réagir et parvenir à maîtriser ces instincts.

SAPIN : rêver d'un sapin ou d'un bois de sapins indique que les promesses de bien et de mal qui nous entourent se réaliseront plus ou moins vite selon que le (ou les) arbre(s) sera (seront) plus ou moins vigoureux. Si le rêveur est un constructeur de bateaux ou un marin, le songe ne sera pas favorable car de nombreux bateaux sont construits en sapin. En général, pourtant, les affaires entreprises récemment seront sûres et auront du succès.

Si le sujet est un individu qui vit au contact de la nature, le rêve n'a pas une grande valeur, mais si sa vie se déroule entre les murs d'une ville, on en déduit que son subconscient désire ardemment un retour à la nature, cette aspiration provenant de son plus lointain passé.

Rêver d'un sapin illuminé et chargé de cadeaux annonce des joies et une chance inattendues, d'autant plus que le rêveur se trouve dans le besoin.

Dans ce cas précis, le sujet révèle son caractère puéril et son désir de retrouver les premières années de sa jeunesse.

Rêver d'un sapin ou d'un bois de sapins enneigés est un signe de bonne réussite en affaires, de grande opulence chez soi et de mariage heureux.

C'est un doux présage qui émane naturellement d'une conscience tranquille, d'un cœur pacifique et presque enfantin.

SAUT : rêver que l'on saute un obstacle indique que l'on va éviter un piège.

Celui qui saute des obstacles en rêve désire aussi, dans la réalité, venir à bout des embûches et de l'adversité. Rêver que l'on est contraint d'effectuer des sauts acrobatiques signifie que l'on a peur d'être placé dans une situation difficile après avoir agi légèrement. Celui qui a peur de sauter, pour passer un obstacle, redoute les conséquences de décisions irréfléchies.

SAUVAGE : rêver que l'on est un sauvage dénote des incompréhensions en famille.

Le rêveur a des tendances et des instincts irrésistibles qui, par leurs caractéristiques, trahissent son immaturité et son irresponsabilité.

SCÈNE : rêver que l'on se trouve sur une scène de théâtre est un présage de mauvaises nouvelles.

Ce rêve est typique des sujets timides, timorés et faibles, même si, en apparence, ils ont l'air sûrs d'eux. Lorsque la manifestation onirique se produit après un spectacle théâtral, sa signification est claire et elle n'a pas de valeur symbolique.

SCIE : rêver que l'on scie un morceau de bois est un signe de succès en affaires et de satisfactions personnelles.

Le rêveur veut mettre fin à une situation désagréable, comme par exemple un conflit familial qui traîne depuis longtemps ou une liaison sentimentale qu'il ne désire plus prolonger. Si c'est une femme qui fait ce rêve, elle manifeste ainsi son désir d'oublier, de se détacher définitivement d'un passé dont elle a honte.

SCORPION : rêver que l'on est piqué par un scorpion est un signe de danger grave, de peur ou d'aversion pour un individu. Le songe représente la déformation d'une personne que le rêveur craint ou déteste, mais il symbolise aussi ses faiblesses, ses vices et ses tendances secrètes. Si c'est une femme qui rêve, on en déduit qu'elle a une prédisposition excessive à la méfiance, à la jalousie et qu'elle manque de confiance en son prochain.

SECOURS (v. AIDE)

SEIN : rêver que l'on a une poitrine plantureuse est un signe de prospérité et d'accouchement heureux.
Généralement, le rêveur éprouve une grande nostalgie pour son enfance, son pays natal. Pour une femme, le songe reflète un désir de maternité toujours latent, même si le sujet est d'un âge avancé.

SENTIER : rêver que l'on marche dans un sentier couvert de ronces et de cailloux signifie que l'on obtiendra la reconnaissance de son propre mérite.
Le rêveur a un tempérament optimiste et bien orienté, car il ne néglige pas l'existence du mal et de la douleur mais en accepte sereinement la présence, en les combattant de son mieux.
Rêver que l'on marche avec facilité dans un sentier dépourvu d'obstacles annonce l'ingratitude de certains amis.

Il s'agit d'un rêve qui dénote chez le sujet la satisfaction pour les améliorations obtenues, tant dans le domaine spirituel que dans le domaine matériel, et pour les espoirs réalisés.

SERPENT : rêver qu'un serpent s'enroule autour de soi est un présage d'emprisonnement.

Il s'agit plutôt d'un rêve féminin. Les serpents reflètent la crainte face à des adversaires intelligents mais hypocrites qui peuvent découvrir des secrets jalousement gardés. La vision traduit aussi la peur d'être trahi.

Rêver que l'on tue un serpent laisse prévoir que l'on triomphera d'ennemis envieux.

Il existe dans le subconscient de la rêveuse des instincts ancestraux qui échappent totalement au contrôle de la raison et qu'elle ne réussira à identifier qu'au moment où, à cause d'un stimulus externe, ils se réveilleront, provoquant crises et traumatismes.

Rêver que l'on est mordu par un serpent venimeux est un signe de richesse.

Parfois aussi, le sujet a la sensation d'un grave danger. Une crise, engendrée par le brusque réveil de certains instincts, menace l'harmonie psychique de sa personnalité en entraînant des déséquilibres de toutes sortes.

SERRURE : rêver que l'on ne peut faire fonctionner la serrure de sa propre maison est un symbole de menaces et de vol.

La timidité du rêveur s'exprime dans ce songe. Il désire approcher la femme qu'il aime mais en est empêché par son introversion et son manque de courage dans l'action. Si c'est une femme qui rêve, elle manifeste le désir de connaître des secrets bien gardés ou de s'évader d'une atmosphère familiale trop étouffante.

SERVIETTE : rêver que l'on s'essuie avec une serviette, en toile ou en éponge, annonce un changement avantageux de travail et de domicile. Le subconscient du rêveur est le siège d'un trouble qui échappe au contrôle de la raison.

SILENCE : rêver que l'on est entouré d'un silence impénétrable signifie que l'on obtiendra honneurs et fortune.
Le rêveur, qui dans la vision onirique est entouré d'un silence menaçant, est tourmenté par un complexe de culpabilité.

SINGE : le sujet voyant en rêve un singe qui se moque de lui a des ennemis qui cherchent à lui nuire par la ruse.
Le rêveur s'imagine pouvoir anéantir ses instincts de cupidité en se contentant d'en ignorer l'existence ; il ne devrait pas en sous-estimer l'importance, mais plutôt les combattre par un effort de volonté.

SIRÈNE : voir en songe une sirène annonce la perte d'objets précieux.
La femme à queue de poisson, qui selon la mythologie charmait les marins, indique que le rêveur est dominé par des instincts incontrôlables, qui menacent de le troubler profondément en donnant lieu à de brusques crises de conscience.

SŒUR : rêver de sa propre sœur est un signe de chance. Ces visions nocturnes révèlent presque toujours la nostalgie du rêveur pour son enfance. L'apparition, en songe, de sa propre sœur est toujours liée à des faits personnels qui ne peuvent être pris en considération.

SOIF : rêver que l'on se désaltère à une fontaine d'où jaillit de l'eau limpide signifie que l'on atteindra la richesse dans un avenir proche.

Si la sensation de soif ou de chaleur correspond à la réalité, le rêve ne nécessite pas d'explication. Il arrive aussi que le sujet se trouve dans un état fébrile et que la soif le tourmente jusque dans son sommeil. Dans ce cas également, le rêve ne peut être analysé. S'il ne s'agit pas d'une représentation de la réalité, le songe démontre chez le sujet l'existence de forces positives que le subconscient laisse inutilisées parce qu'il en ignore la présence.

SOIR : rêver du soir annonce l'arrivée d'une lettre contenant des nouvelles agréables.
Le caractère romantique du rêveur, dont la mélancolie peut aller jusqu'à provoquer des états dépressifs, comporte de vastes zones d'ombre qui échappent à la raison et où la conscience ne peut pénétrer.

SOLEIL : rêver que l'on est réchauffé par le soleil, symbole de la vie et de la fécondité, est de bon augure. Si le rêveur est un paysan, sa récolte sera bonne. Si c'est un commerçant qui voit des rayons de soleil sur la façade de sa boutique, il obtiendra rapidement la solution d'affaires embrouillées. Le soleil, qui représente pour les hommes la perfection, la beauté, l'optimisme et l'espoir, est aussi synonyme d'illusion. Le sujet devra, par conséquent, interpréter ce songe comme une expression de l'activité croissante de sa personnalité, laquelle jouit actuellement d'une heureuse période de sérénité et de prospérité.

SORCIÈRE : rêver d'une sorcière indique l'hypocrisie, la trahison, ainsi que des pièges et des dangers.
Il s'agit d'un personnage menaçant qui hante généralement les rêves des enfants ; pour les adultes, c'est donc un héritage de l'enfance. Le songe peut toutefois causer des troubles dus à des sensations déterminant des déséquilibres.

SOU (v. ARGENT)

SOUCIS : rêver que l'on a des soucis reflète la tranquillité du milieu familial.

Généralement, les motifs qui engendrent des soucis existent dans la réalité mais le rêve les agrandit considérablement. Le rêveur est un émotif qui se laisse trop facilement écraser par les difficultés, lesquelles peuvent être d'ordre financier. Le songe indique quelquefois un état de dépression physique qui doit être contrôlé et traité par un médecin.

SOUFFLER : rêver que l'on souffle sur du feu indique que vos amis font courir des bruits calomnieux sur votre compte. Le rêveur garde fermement l'espoir de continuer à entretenir un idéal. La vision indique des crises de joie alternant avec des crises de désespoir, car le sujet a un caractère changeant et émotif.

SOURIS : rêver que l'on est attaqué par des souris annonce la perte d'une somme d'argent prêtée.

La souris représente un désaccord grave qui menace le rêveur. Ce désaccord va se manifester d'une manière particulièrement violente, impliquant même un danger pour la vie du sujet. Il faut que le rêveur découvre au plus vite quelle est la nature de cette menace car ce n'est qu'ainsi qu'il pourra en éviter les graves conséquences.

Rêver que l'on tue des souris annonce avec certitude une revanche sur des ennemis acharnés.

Le rêveur voudrait détruire, supprimer les états d'anxiété et de dépression qui l'assaillent continuellement ; malheureusement, à cause de la faiblesse de sa personnalité, il ne peut leur résister.

Il est conseillé, si le songe devait se répéter, de recourir aux soins d'un médecin.

SOUTERRAIN : rêver que l'on se perd dans un souterrain, ou que l'on doit marcher longtemps dans un souterrain sombre, annonce un voyage bénéfique, si le rêveur est un commerçant, et une fortune rapide pour tous les autres.

Le rêve repose sur un fond de pessimisme. Le sentiment d'oppression et de méfiance qui s'en dégage dirige et détermine l'avenir du rêveur.

L'atmosphère dans laquelle se déroule le rêve (atmosphère obscure et trouble) doit évidemment être interprétée en fonction de l'action.

SPECTRE (v. FANTÔME)

SPHINX : rêver que l'on se trouve en présence d'un sphinx est un signe de malheur.

De nombreuses tendances cachées, que le rêveur lui-même ignore, sont en train de prendre le pas sur sa volonté ; elles peuvent provoquer de graves troubles et des crises de conscience.

STATUE : rêver que l'on est transformé en statue de pierre annonce un danger.

Le rêveur est particulièrement influencé par une sensation très désagréable éprouvée pendant la journée. Il trahit par cette vision sa crainte d'événements peu plaisants concernant sa vie sentimentale.

D'autres fois, le songe peut être provoqué par une période de découragement et par la peur qu'engendrent les désirs dont on considère la réalisation impossible ou extrêmement difficile.

SUCRE : rêver de sucre est signe que l'on reçoit ou que l'on va recevoir des compliments trompeurs voire déplacés.

Le rêve représente l'activité sentimentale du rêveur, dans

son expression romantique. Il est inutile de chercher à dissimuler ses tendances naturelles sous un comportement calculateur et rationaliste. Il faudrait que le rêveur accepte sereinement ses penchants et s'efforce d'en corriger les mauvais aspects (sentimentalisme inutile, puérilité et désirs morbides).

SUEUR : rêver que l'on est couvert de sueur signifie que l'on devra affronter des créanciers sans pitié.
Pour le rêveur commence une période de mauvaise santé. La manifestation onirique est souvent la conséquence d'un rêve qui, au réveil, laisse le sujet recouvert d'une sueur abondante. Au cas où le songe se reproduirait assez souvent, il serait sage de consulter un médecin car ces sensations pourraient être causées par une dépression nerveuse.

SUICIDE : rêver que l'on se donne la mort annonce une naissance dans la famille proche du rêveur.
Le sujet est dominé par un terrible complexe d'infériorité et par un manque total de confiance en lui-même et en son travail. C'est un pessimiste par nature, condamné au malheur à perpétuité. Si le rêve devait se répéter, il faudrait recourir à un traitement psychanalytique.

T

TABAC : rêver que l'on fume (la pipe ou une cigarette) avec volupté est un signe de plaisir de courte durée.

Si le rêveur est un fumeur acharné, le désir de fumer, ou l'acte même, reflètent donc la réalité et le songe ne doit pas être pris en considération.

TABLEAU : rêver que l'on voit un tableau représentant un paysage est un signe de joie et d'honneurs sans profit.

Le rêveur qui admire une peinture tend à fuir la réalité et à s'enfermer dans un monde créé par son imagination.

Pour d'autres, le songe est l'expression du désir, non encore réalisé, de devenir un peintre célèbre.

TACHE : rêver que l'on porte un vêtement couvert de taches est un signe de discussions familiales.

Les taches symbolisent la crainte du rêveur de montrer aux autres ses maladies, vraies ou imaginaires, ses imperfections, ses faiblesses et les travers de sa personnalité. Tout cela ne fait qu'engendrer timidité et complexes.

Rêver que l'on a le visage recouvert de taches est l'indice d'une prochaine maladie.

C'est le rêve typique de ceux qui craignent les conséquences de l'acte sexuel. La vision onirique laisse au sujet, à son réveil, une sensation de peur et d'angoisse.

TAILLEUR : rêver que l'on exerce le métier de tailleur, s'il ne s'agit pas de sa propre profession, signale l'infidélité d'un conjoint.

Chez une femme, ce songe traduit un désir d'ambition et d'affirmation dans le domaine sentimental, surtout pour suppléer à un manque de personnalité. Pour un homme, il reflète des tendances homosexuelles.

TAON : rêver que l'on est piqué par des taons signifie que l'on sera l'objet de menaces de la part de personnes influentes. C'est aussi un signe de discordes familiales et d'infidélité. La paresse naturelle du rêveur est contrariée, pendant la journée, par des facteurs externes qui le poussent à une vie plus laborieuse.

Pendant la nuit, la sensation de piqûres de taons, qui l'obligent à courir, à fuir, est une répercussion des diverses pressions reçues le jour précédent.

TÉLÉPHONE : rêver que l'on parle avec quelqu'un au téléphone est un signe de curiosité satisfaite.

Bien souvent, la vision nocturne reflète une communication interrompue pendant la journée et le songe n'a donc pas de valeur symbolique.

D'autres fois, chez le rêveur subsistent certaines craintes — la crainte par exemple qu'une liaison soit brisée ; le subconscient se manifeste par le coup de téléphone et le songe doit être interprété comme si la conversation avait réellement eu lieu.

TÉLÉVISION : rêver que l'on assiste à une émission de télévision est un signe de bonnes nouvelles.

Lorsque le rêve représente une émission à laquelle on a assisté le soir précédent, il ne peut prêter à aucune interprétation symbolique.

TEMPÊTE : rêver que l'on se trouve au beau milieu d'une tempête (arbres brisés par le vent et rafales de pluie très violentes) signifie que l'on aura un accident sans conséquences physiques.

Le désir de surmonter une épreuve difficile trouble la tranquillité du rêveur. C'est quelquefois sa panique qui se manifeste par la vision onirique de la tempête et des éléments déchaînés. Le sujet redoute l'échec d'une affaire très importante ou un châtiment qui serait la conséquence logique de ses actes.

TEMPLE : rêver que l'on entre dans un temple immense annonce des changements relatifs à la fortune.

Pour le rêveur, la religion est une question très personnelle, un phénomène fondé sur la superstition, mais néanmoins intéressant.

C'est le songe de ceux qui, bien qu'ayant une éducation religieuse solide ont négligé, par paresse ou incrédulité, de garder un contact avec la religion. Pour ceux qui ont volontairement abandonné toute pratique religieuse, non par pure conviction idéologique, mais par commodité, intérêt, égoïsme et paresse, le rêve est le reflet du trouble et de la rébellion de la conscience étouffée par un matérialisme trop aride.

TENTE : rêver que l'on habite sous une tente annonce que l'on fera un voyage pénible.

Ce songe est l'expression, pour le rêveur, d'un désir d'évasion, de détente, de sérénité, de retour à la nature. Lorsque le rêve concerne une personne qui aime le camping ou le pratique, elle ne peut évidemment pas se prêter à une interprétation symbolique.

TERRE : rêver que l'on est recouvert de terre et que l'on étouffe est un signe de richesse.

Habituellement, il s'agit d'un rêve épouvantable qui terrorise celui qui a la sensation d'être enterré vivant. Lorsque le sujet ne souffre pas d'une dépression nerveuse, le songe traduit la peur d'être écrasé par les événements. Il peut être provoqué par des facteurs externes et naturels, comme l'atmosphère irrespirable d'une chambre résultant d'un chauffage excessif ou la présence de couvertures trop lourdes.

TÊTE : rêver que l'on a la tête tranchée est signe que les sentiments d'orgueil, la dignité ont été bafoués.
Le rêveur a volontairement renoncé à s'insérer dans la société et à assumer les devoirs inhérents à la vie communautaire. Il s'est isolé du reste du monde, tout en vivant parmi les gens. Cette situation d'isolement est si bien dissimulée qu'elle échappe même à la conscience du sujet, laquelle ne parvient pas, fût-ce au prix de grands efforts, à relier entre eux les lambeaux d'une personnalité si décousue.
Rêver que l'on coupe la tête de quelqu'un signifie que l'on cherche à se libérer de soucis financiers.
Il est nécessaire que le rêveur change entièrement sa façon de penser, de raisonner et de juger, même si son existence doit en être absolument bouleversée.

THÉÂTRE : rêver que l'on joue une pièce de théâtre annonce une aventure imprévue.
Le rêveur n'est pas en mesure d'assumer les responsabilités qui lui sont confiées, car il veut à tout prix obtenir ce à quoi il n'a pas droit. S'il venait à occuper un poste supérieur, ce ne pourrait être qu'abusivement, en trompant la confiance d'autrui. Il serait d'ailleurs incapable de conserver cette situation avantageuse.

TIGRE : rêver que l'on est attaqué par un tigre est un mauvais présage.

Les impulsions primaires du rêveur deviennent agressives car elles échappent à la raison et menacent continuellement son équilibre psychique. Si elles ne sont pas rapidement maîtrisées, elles peuvent conduire à de graves troubles.

TOMATE : rêver que l'on mange des tomates annonce que l'on obtiendra un petit gain que l'on considérait depuis longtemps comme perdu.
L'univers sentimental du rêveur est pauvre et dépourvu d'enthousiasme. Son comportement anti-conformiste est affecté car, en réalité, il demeure étroitement lié à la tradition.

TOMBE : rêver que l'on est enterré dans une tombe est un signe de longue vie.
Une situation de conflit s'est créée chez le rêveur, conflits entre bons et mauvais instincts provoqués par un réveil de la personnalité. Sa cause involontaire est constituée par un souvenir que l'on croyait oublié depuis longtemps et qui n'avait jamais cessé d'agir sournoisement sur le subconscient.

TOMBEAU : rêver que l'on est enterré dans un tombeau annonce un prolongement de vie ou guérison d'une maladie. Il ne s'agit pas, comme on pourrait le croire à première vue, d'un songe défavorable. S'il ne reflète pas une situation réelle — une maladie du sujet ou d'une personne chère — il constitue un bon présage car le tombeau est le symbole de l'espoir. Le rêveur a traversé une période de malaise et d'angoisse à laquelle il a accordé une trop grande importance. Le sentiment de tristesse et de douleur que laisse le songe au réveil n'est qu'un signe de fatigue due à un travail excessif. Ce symptôme disparaîtra très rapidement.

TONNEAU : rêver que l'on possède un tonneau plein de vin est un signe d'abondance.

Le rêveur se trouve dans une période extrêmement favorable due à son activité professionnelle. Tout cela lui permet de jouir de la richesse et de la tranquillité acquises et de donner à son existence une orientation sûre.

Rêver que l'on possède un tonneau vide est un signe de misère et de manque d'affection.

Le rêveur est d'un tempérament actif et pratique. Cependant, il méprise la culture et la personnalité des autres. Il en résulte un appauvrissement intellectuel et un matérialisme qui ne pourra jamais être complètement dépassé. D'où la signification négative de ce rêve.

TORCHE : rêver que son chemin est éclairé par des torches et des flambeaux est de bon augure, surtout pour les jeunes qui obtiendront plaisirs et chance amoureuse en plus du succès professionnel et artistique.

Que la torche soit grande ou petite, le rêve dénonce chez le rêveur un grand désir d'amour, de tendresse, de compréhension, ainsi que la ferme décision de surmonter tous les obstacles pour atteindre le but qu'il s'est fixé.

TORTUE : rêver que l'on voit une tortue annonce du retard dans une affaire très importante.

Le rêveur est un introverti qui refuse le contact avec les autres. En vérité, non seulement il a peur de laisser percevoir sa propre personnalité, mais il redoute de la découvrir lui-même car il est dépourvu de courage et de volonté.

TORTURE : rêver que l'on subit des tortures signifie que l'on devra participer à une querelle injuste.

Le rêveur est accablé par un complexe de persécution. Il fait preuve d'une méfiance maladive qui doit être éliminée par la raison, et cela au plus vite, afin d'éviter une cassure entre la raison elle-même et la conscience.

TOUR : rêver que l'on est enfermé dans une tour est un présage de trahison accompagnée de danger grave.

L'individualisme du rêveur, uni à une pudeur excessive, l'empêche de communiquer et de révéler aux autres les richesses intérieures dont il est porteur. Son attitude est la conséquence d'une éducation répressive qui, à travers un processus d'évolution change peu à peu.

TOURBILLON : rêver que l'on est pris dans un tourbillon est un présage de tempête.

Le rêveur est de tempérament apathique ; il assiste avec indifférence à la destruction de sa volonté ravagée par des impulsions inconscientes. Le réveil imprévu de ses instincts lui donne l'impression d'être plus actif et cela lui procure une certaine satisfaction.

TRAHISON : rêver que l'on est trahi par la personne aimée annonce des ennuis avec la justice.

Rêver que l'être aimé nous trahit exprime une grande jalousie ; la relation qui la provoque devrait par conséquent, être abandonnée car elle repose sur un manque de confiance. Lorsque la personne aimée n'existe pas, la vision est pour le rêveur le signe d'un égocentrisme déplacé : il ferait bien de changer sa façon de vivre.

Rêver que l'on trahit quelqu'un est l'indice d'un changement de travail.

Il est vraiment inutile que le rêveur cherche à changer sa personnalité car cette transformation ne serait que superficielle. En effet, il n'a pas l'intention d'abandonner son ancien comportement, de renoncer à ses mauvaises habitudes et à ses attachements ou relations douteuses.

TRAIN : rêver que l'on voyage en train annonce un procès que l'on gagnera.

Le rêveur, s'il tire du plaisir de son voyage en train, a un esprit loyal et ouvert, adapté à une insertion parfaite dans la vie sociale. Il a le sens des responsabilités et fraternise avec les autres, par solidarité et amour de la justice.

Rêver que l'on voit un train dérailler est un signe de danger de mort pour le rêveur.

Le sujet manque de compréhension envers son prochain car il est instinctivement porté à critiquer et à mépriser. Il refuse d'assumer ses devoirs sociaux parce que cela l'ennuie profondément.

Rêver que l'on manque un train est un signe de victoire rapide sur des concurrents d'affaires.

Le rêveur est excessivement attaché aux petites joies de la vie, à son confort, à ses avantages (aux dépens de ceux des autres) ; il ne sait pas assumer les responsabilités qui lui incombent car elles lui semblent trop pénibles ou inférieures à ses possibilités.

TRAPPE : rêver que l'on tombe dans une trappe signale la trahison d'un ou de plusieurs amis.

Le sujet est un être très méfiant et craintif. Sa personnalité est faible, impressionnable. Il a beaucoup d'aspects peu sympathiques. Son subconscient agit en accusateur incorruptible.

TRAVAIL : rêver que l'on accomplit un travail quelconque est un signe d'harmonie et de bonheur pour la famille, de prospérité en affaires et d'avancement probable.

Selon Artémidore, il faut accorder une grande importance à ce rêve car, lorsqu'on se voit accomplir avec facilité des travaux habituels, c'est que l'on est gêné dans l'exécution de tâches qui font partie de son activité professionnelle.

Rêver que l'on se consacre à un travail qui n'est pas le sien, et que l'on connaît à peine, est un présage de future prospérité.

Le fait de rêver que l'on exécute un travail étranger à sa profession et qu'on le mène à bien malgré les difficultés, signifie que l'on est tourmenté par de gros obstacles.

Rêver que l'on travaille durement et que l'on ne termine pas sa tâche annonce des discussions inutiles.

Abandonner un travail en le laissant inachevé est une indication inquiétante car elle indique un manque de confiance en soi et une grande méfiance à l'égard des autres. C'est le songe caractéristique des individus timides, frustrés par la tyrannie envahissante de certaines passions négatives.

TREMBLEMENT DE TERRE : rêver que l'on se trouve au centre d'un tremblement de terre, voir le sol s'ouvrir sous ses pieds dans un fracas assourdissant, est un signe de confusion mentale et de doutes.

Lorsqu'il n'est pas provoqué par l'instabilité du lit, le rêve reflète un événement imprévisible qui ébranle la tranquillité du rêveur. Si la vision est accompagnée d'autres éléments de caractère terrifiant, elle révèle la crainte du sujet de voir découverte une de ses mauvaises actions et l'angoisse de devoir en subir les conséquences.

TRÉSOR : rêver que l'on découvre un trésor composé de joyaux et de pierres précieuses est le symbole d'un espoir déçu.

Celui qui, en rêve, découvre un trésor est un éternel naïf qui fera bien de prendre garde aux mauvais coups du sort. Si, en plus, le songe le représente en train de creuser avec acharnement pour atteindre le trésor, c'est qu'il n'attend rien de la vie, qu'il reste pessimiste, même devant des faits qui devraient forcer sa crédulité.

TROUPEAU : rêver que l'on possède des troupeaux, et les voir en mouvement ou au pâturage, annonce de gros bénéfices, de grandes satisfactions et de l'avancement. Ceci vaut surtout pour les personnes qui occupent de hautes fonctions (parlementaires, magistrats, docteurs, etc.).

Si la scène représentée par le songe est heureuse, si l'atmosphère est sereine, tout va bien. Si, au contraire, on note une certaine inquiétude parmi les animaux, ou si le rêve suscite de l'appréhension, il faut que le rêveur procède à un examen plus approfondi de son état psychique, car il est certainement perturbé.

TUER (v. aussi HOMICIDE) : rêver que l'on tue une jeune fille est signe de faiblesse, de peur, et laisse présager des difficultés financières, qui, dans la réalité, s'orienteront vers une heureuse et rapide solution.

L'anti-conformisme marqué du sujet provient d'une réaction à l'encontre de son milieu. Il se rebelle, non contre la société en général, mais contre certaines règles de vie, contre une mentalité propre à un cercle déterminé de personnes. Le rêve en question est précisément le symptôme du traumatisme psychique qui affecte le rêveur. Sa révolte comporte souvent des aspects positifs, particulièrement à propos des problèmes sociaux.

Rêver que l'on tue par jalousie, si ce sentiment est ressenti de manière presque réelle, signifie que l'on est aimé et n'exclut pas la possibilité d'un prochain mariage.

Il s'agit d'un rêve qui concerne généralement les individus qui répriment leurs sentiments les plus nobles et les plus sincères, ainsi que leur idéal le plus pur, au profit de leur égoïsme.

Rêver que l'on tue en état de légitime défense signifie que l'on doit se méfier de ses faux amis.

Le rêveur manque de sens social. C'est un égoïste instinctif. Son rêve naît d'une offense faite au droit d'autrui.

UNIFORME : rêver que l'on porte un uniforme est un présage d'aventures.

Le rêveur a été impressionné par un événement survenu durant la journée et dont l'importance a été grandie par une certaine sympathie ou par un état d'esprit propre à un milieu social particulier.

USINE (v. OUVRIER)

V

VACHE : rêver d'une vache grasse est un signe d'abondance pour la famille.

Le rêveur a besoin de faire d'importants efforts d'adaptation pour affronter un éventuel changement de vie.

Rêver d'une vache maigre est un signe de famine pour l'entourage. Le sujet a un bon esprit d'adaptation, hérité de ses parents, mais qu'il transforme en condescendance passive. C'est pourquoi il accepte tout ce qui se passe autour de lui avec indifférence et résignation.

VAGABOND : rêver que l'on est un vagabond annonce un prochain voyage.

Le rêveur exprime sa lassitude à propos d'un lien affectif dont il doute. Contrairement aux apparences, il cache en lui de grandes réserves de sentiment et d'imagination. Malheureusement, il est incapable de les exploiter de manière adéquate et en temps opportun.

VALISE : rêver que l'on porte une valise est un signe de petit déplacement dans le travail.

Le rêveur tente une évasion absolument impossible et porte le poids d'un lourd secret qui le tourmente et dont il ferait bien de se libérer. Il pense s'être embarqué dans une entreprise hasardeuse qui ne lui vaudra que des déceptions.

VAMPIRE : rêver que l'on est attaqué par un vampire signifie que l'on tombera entre les mains des usuriers. Il faut prêter attention à ce rêve afin d'éviter certaines conséquences désagréables.

Généralement, ce rêve effrayant est déterminé par le spectacle d'un film d'horreur qui a profondément marqué le sujet, il n'a donc pas de valeur symbolique. Si c'est une femme qui rêve, elle manifeste ainsi sa peur de l'agressivité masculine et de ses conséquences possibles.

VAUTOUR : rêver de vautours signifie que des usuriers sans scrupules chercheront à voler le sujet.

L'élément perturbateur se trouve à l'extérieur du sujet. Il peut être représenté par les embûches et les problèmes de la vie courante auxquels le rêveur donne trop d'importance et qui empêchent toute communication, tout échange de sentiments avec les autres.

VENDANGES : rêver que l'on participe à des vendanges est un indice de joie, de santé et de plaisir.

Le rêveur, au tempérament actif et à l'esprit pratique, traverse une période d'appauvrissement intellectuel qui peut momentanément influencer sa personnalité.

VENDRE : rêver que l'on vend quelque chose est un signe d'embarras financier.

Le rêveur, selon la situation·dans laquelle il se trouve, manifeste ses tendances, ses désirs et ses craintes. Il voudrait s'assurer la sympathie et les faveurs de quelqu'un, mais il doit faire très attention car il pourrait se mettre dans une mauvaise posture.

VENT : rêver de vents violents et froids annonce des ennuis causés par des personnes mal intentionnées.

En règle générale, le vent représente une énergie spirituelle et religieuse qui se forme chez le rêveur et qui peut influencer sa vie. Il arrive aussi qu'un... simple courant d'air traversant sa chambre donne au sujet l'impression d'être au centre d'une tempête ! Evidemment, dans ce cas le rêve ne nécessite aucune interprétation.

VÊTEMENTS : rêver que l'on porte des vêtements de saison est en général de bon augure pour les hommes d'affaires. Les entreprises récentes seront couronnées de succès. Ce songe reflète le comportement normal du rêveur, et il est significatif d'un grand équilibre. Il est sûr de lui, sans orgueil ni modestie exagérés. Il possède une personnalité saine et robuste.

Celui qui, en rêve, porte des vêtements précieux, recherchés, et surtout peu propices aux circonstances, au temps, etc., risque de voir sa situation financière fortement compromise.

Le rêveur est un ambitieux ; il vise une position sociale trop élevée et ne recule devant aucune compromission pour l'obtenir. Naturellement, il ne saura pas conserver ce qu'il aura conquis à ce prix.

Rêver que l'on porte des habits, neufs ou vieux, trop étroits, signifie qu'une chance imprévue visitera la maison du rêveur. La réputation du rêveur est sérieusement ébranlée et, malgré tous ses efforts il ne saura pas la restaurer, même s'il a la chance de son côté. C'est un individu qui n'est pas capable de se contrôler et qui tend à accaparer tout ce qui lui plaît sans aucun scrupule.

Rêver que l'on porte des habits blancs (une soutane par exemple) est un symptôme de trouble psychique. Ce rêve n'est favorable qu'aux religieux. Il annonce un manque de travail à l'ouvrier et, par conséquent, des difficultés ; il prédit la punition aux malfaiteurs et aux escrocs. Cependant, pour le malade, c'est un signe de guérison. Mais en général, la conscience du rêveur est fortement troublée par des remords pour des actions peu orthodoxes et de comportements incorrects. Il désire faire pénitence : dans le rêve, ce désir est représenté par la soutane.

Si un homme rêve qu'il porte des vêtements féminins, il doit s'attendre à une triste aventure.

Se voir habillé en femme est un songe favorable aux clowns, aux farceurs et aux célibataires ; ces derniers ne tarderont pas à se marier.

Le rêveur pense que le "sexe fort" est fait pour dominer mais, en même temps, il ne se sent pas à la hauteur de cette tâche. Cela le trouble profondément et le contraint à vivre continuellement dans un état de dépression psychique. La peur que les autres s'aperçoivent de sa faiblesse, de son inclination à "se comporter comme une fille", se manifeste dans ce rêve.

Si une femme rêve qu'elle porte des vêtements masculins, elle aura un succès facile dans le domaine professionnel. La jeune fille qui rêve qu'elle porte des habits d'homme et s'occupe d'affaires peu féminines révèle son penchant au despotisme, aux évasions plus ou moins justifiées, aux révoltes. Elle n'accepte plus la morale imposée par l'égoïsme masculin et exige un plus grand respect de ses droits.

Pour une femme, rêver de porter une robe blanche de mariée est un présage de chance au jeu.

Celle qui fait souvent ce rêve éprouve inconsciemment un certain mécontentement pour la vie qu'elle mène ; elle n'est pas satisfaite et éprouve le besoin de changer, de donner un nouveau visage à son existence.

Rêver que l'on porte des vêtements déchirés est un signe de déceptions ; si, au moment où le rêve se produit, le sujet est engagé dans des litiges, il n'aura pas gain de cause ; les travaux commencés récemment ne seront pas menés à bien.

Mais pour le riche, ce rêve annonce une perte d'honneurs. Le sujet n'est pas satisfait du cours de son existence ; il est torturé par des désirs, des craintes et des dilemmes.

Rêver que l'on endosse des vêtements tachés de sang est un signe de prochaine richesse. Si le sujet est déjà riche, sa puissance augmentera encore ; s'il est pauvre, il atteindra le bien-être.

VIANDE : rêver que l'on mange de la viande que l'on a cuisinée soi-même est de bon augure, excepté s'il s'agit de mouton et de poulet, ces animaux étant symboles de racontars, de bavardages, etc.

Le songe indique le brusque réveil des instincts sexuels du rêveur. Il n'a rien d'alarmant car ces impulsions sont tout à fait normales.

Rêver que l'on mange de la viande crue est un signe de profits et de richesses.

Des pensées et des sentiments morbides influencent la vie du sujet. Celui-ci accueille favorablement la situation mais il doit se tenir sur ses gardes et en redouter les conséquences. Si une femme rêve qu'elle éprouve du dégoût pour la viande, elle verra sa timidité naturelle augmenter.

La rêveuse est excessivement introvertie. Elle craint les aspects naturels et réels de l'existence mais sera contrainte de les accepter, si possible avec intelligence et simplicité.

VIEILLARD : le fait de rêver qu'un vieillard entre dans notre maison, et qu'il ressemble à notre père ou à un parent décédé depuis longtemps, apporte le bonheur et le bien-être à la famille.

Le rêveur abrite à son insu une grande force morale qui se développe sans cesse. Cette force peut s'exprimer sous forme de sentiment religieux, d'inspiration artistique ou d'idéal. Il s'agit toujours d'une vocation.

VILLE : rêver que l'on se promène dans une ville inconnue est un mauvais présage.

Les multiples activités du rêveur le distraient, l'éloignent de sa personnalité et de sa conscience. Il est donc nécessaire qu'il sache quelquefois s'isoler de la vie extérieure pour prêter un peu plus d'attention à ce qui s'agite en lui, pour obtenir une plus grande tranquillité spirituelle.

VINAIGRE : rêver que l'on boit du vinaigre annonce une petite dispute en famille, provoquée par un malentendu. Le rêveur a voulu réprimer ses instincts. Il ne lui reste maintenant qu'à reconstruire ce qu'il a imprudemment détruit.

Celui qui se voit, en rêve, préparer du vinaigre s'apprête probablement à accomplir une mauvaise action.

Le rêveur manque totalement de contrôle de soi et laisse les forces négatives de ses instincts prendre le dessus, malgré le grave conflit qui oppose ses désirs à son éducation.

VIOLETTE : rêver que l'on voit des violettes dans un champ est synonyme de succès en affaires.

Le rêveur est un passif résigné. Il affecte souvent la sérénité, mais en réalité, c'est un être sans consistance.

VIPÈRE : rêver que l'on est assailli par une vipère est un présage d'inimitiés et de maladie, plus ou moins grave selon que le serpent inocule ou non son venin.

VISION (v. APPARITION)

VISITE : rêver que l'on reçoit la visite d'amis et de parents lointains est un signe de bonne nouvelle.

Le rêveur trahit son désir de se réconcilier avec une personne. La personne vue en rêve n'est pas toujours celle de la réalité. Lorsque se produisent des superpositions de visages et que l'on ne réussit pas à distinguer la physionomie des individus rêvés, c'est qu'il existe un véritable conflit intérieur, qui retarde précisément cette réconciliation.

VITRE : rêver que l'on regarde à travers les vitres d'une fenêtre annonce une solution avantageuse à une affaire.
Le rêveur cherche à saisir la situation qui affleure à sa conscience car, complexé, il ne voit pas clairement quelle attitude adopter.

VOILE : rêver que l'on porte sur la tête un voile noir annonce un prochain veuvage.
Que le sujet soit un homme ou une femme, il a peur d'un rival, authentique ou présumé, surtout lorsque le rêve est stimulé par un problème sentimental. Ces rêveurs sont dépourvus de caractère et n'ont pas le courage de leurs propres actions.
Rêver que l'on porte un voile blanc est un signe de vocation religieuse.
Le rêve est presque toujours accompagné d'une sensation de grande sérénité. Le rêveur a une forte tendance au mysticisme. Sa vie est bien équilibrée et harmonieusement dirigée. Il s'isole pour éviter que des éléments extérieurs ne viennent le déranger. Cette attitude est pourtant négative, car elle laisse la raison s'égarer vers des formes exagérées de sentimentalisme et exalte le fanatisme religieux.

VOL : rêver que l'on commet un vol est un mauvais présage.
Ce rêve avertit le sujet d'un grave danger et d'une menace de condamnation infamante.
De nouveaux sentiments distraient le rêveur du but qu'il s'était fixé. La personne qui commet le vol indique clairement de quels sentiments il s'agit. La chose volée indique

le but visé (par exemple : rêver que l'on vole de l'argent indique le désir d'en accumuler, etc.).

VOLCAN : rêver d'un volcan éteint annonce une aventure périlleuse.
La volonté, la personnalité et la conscience du rêveur, en conflit perpétuel, se trouvent dans un état d'aboulie créé volontairement par un sujet épuisé et lassé par les plaisirs et les passions trop violentes.
Rêver d'un volcan en éruption signifie qu'une passion irrésistible pourra changer la vie du rêveur.
Le sujet craint d'être entraîné et compromis par son tempérament passionnel. Il manque de confiance dans ses possibilités et redoute que ses instincts ne prennent le dessus ; en fait, ils le libéreraient d'un esprit un peu trop conformiste.

VOLEUR : rêver que l'on se fait voler quelque chose indique la perte d'un faux ami.
Le songe révèle dans la vie du sujet l'existence d'un élément perturbateur qui l'éloigne de toute activité professionnelle et spirituelle. Cet élément peut être constitué par la vie quotidienne elle-même, avec son cortège de problèmes auxquels on accorde trop d'importance, aux dépens de la personnalité profonde.
Rêver que l'on est un voleur est un mauvais présage, plus ou moins grave selon la valeur de l'objet volé.
Des passions et des sentiments nouveaux distraient le sujet de son activité habituelle. Il s'aperçoit qu'il est individualiste et introverti à l'excès, ce qui l'entraîne à un comportement curieux dans ses rapports sociaux.

Z

ZÈBRE : rêver que l'on voit un zèbre est un signe de difficultés surmontables.

Le rêveur se rebelle contre un certain développement de ses instincts passionnels. Il s'agit d'un phénomène passager qui ne doit donner lieu à aucune inquiétude.

ZODIAQUE : rêver des signes du zodiaque est un indice de chance au jeu et particulièrement à la loterie.

C'est un songe typiquement féminin, les femmes étant généralement plus attentives aux horoscopes que les hommes et se laissant plus facilement impressionner par leurs prévisions. Si le rêve est la conséquence d'une situation vécue pendant la journée, il n'a pas de valeur symbolique.

Table des matières

Première partie - **Le rêve : essence et signification**

Achevé d'imprimer
en mars 1992
à Milan, Italie, sur les presses de
Lito 3 Arti Grafiche s.r.l.

Dépôt légal: mars 1992
Numéro d'éditeur: 2893